因为懂得 所以慈悲

【张爱玲的倾城往事】

YIN WEI DONG DE SUO YI CI BEI

白落梅／著

中國華僑出版社

图书在版编目（CIP）数据

因为懂得 所以慈悲 / 白落梅著 —北京：中国华侨出版社，2012.1
ISBN 978-7-5113-1966-1

Ⅰ.①因… Ⅱ.①白… Ⅲ.①传记文学 - 中国 - 当代
Ⅳ.①I25

中国版本图书馆CIP数据核字（2011）第258508号

● **因为懂得 所以慈悲**

著　　者/白落梅
出 版 人/方　鸣
选题策划/马志明
责任编辑/文　轩
特约编辑/刘洁梅
封面设计/荆棘设计
版式设计/新兴工作室
经　　销/新华书店
开　　本/870mm×640mm 1/32　印张/8.25　字数/100千字
印　　刷/三河市华业印装厂
版　　次/2012年2月第1版　2012年2月第1次印刷
书　　号/ISBN 978-7-5113-1966-1
定　　价/28.00元

中国华侨出版社 北京市朝阳区静安里26号通成达大厦三层 邮编：100028
法律顾问：陈鹰律师事务所
发 行 部：（010）82605959 传真：（010）82605930
网　　址：www.oveaschin.com
E - mail：oveaschin@sina.com

前言

今生只作最后一世

落叶空山，寒枝拣尽。在这个秋意阑珊的午后，采一束阳光，读几卷诗书，日子陶然忘机。走过山长水远的流年，以为世事早已面目全非，生出许多无端的况味。原来有一种岁月叫慈悲，因为它懂得，在这寥廓的人间剧场，一个人要从开场走到落幕，是多么不易。所以它如此宽厚，让尝尽烟火的我们，依旧拥有一颗梨花似雪的心。

笙歌归院落，灯火下楼台。民国就是一场散去的戏，曾经锣鼓喧天的倾城故事，早已淹没在落落风尘中，不知所往。那个被光阴抛掷的女子，又从远年的巷陌，款款走了出来。她着一袭素锦旗袍，穿越民国烟雨，走过季节轮回，那散落一地的，是薄荷般清凉的记忆。

我是喜欢张爱玲的，喜欢一个人，无需缘由，不问因果。喜欢她年少时的孤芳自赏，喜欢她遭遇爱情后的痴心不悔，亦喜欢她人生迟暮的离群索居。就是这样一个女子，在风起云涌的上海滩，不费吹灰气力，便舞尽了明月的光芒。浮沉几度，回首曾经沧海，她最终选择华丽转身，远去天涯。清绝如她，冷傲如她，从不轻易爱上一个人，亦不轻易辜负一个人。

民国男子多如星火，却偏偏有那么无情的一颗点亮了张爱玲。人生的相遇，是一件多么美丽的事，而我们却总要为美丽，扮演一个深情与无情的角色。胡兰成用一盏茶的时间，就可以忘记许下一生的诺言，而张爱玲却要为一段爱情负责到底。她为他低到尘埃里，在尘埃里开出花来。这朵花，开错了时间，在他背离的那一刻，她甘愿独自萎谢。

之后，张爱玲亦遭遇过一段缘分，那个叫桑弧的导演，给了她风轻云淡的相逢。只是她再不肯为茕茕光阴，而低眉垂袖了。再后来，她又邂逅一段异国爱情，和一个叫赖雅的老者，执子之手，相濡以沫十一年。但潋滟红尘，终究没有给得起她要的那份现世安稳。也许爱情，一定要将你伤到无以复加，才可以看得清醒明透。

胡兰成说，张爱玲是民国世界的临水照花人。她无需经历多少世事，这个时代的一切自会与她来交涉。她不美丽，却能够以任何一种姿态倾城。就是这个传奇女子，和月亮结下了一世情缘，生于月圆之日，死于月圆之时。民国的月亮早已下沉，而她的故事却永远不会结束。

在这个光怪陆离的人间，没有谁可以将日子过得行云流水。但我始终相信，走过平湖烟雨，岁月山河，那些历尽劫数、尝遍百味的人，会更加生动而干净。时间永远是旁观者，所有的过程和结果，都需要我们自己承担。

世间曾有张爱玲，世间唯有张爱玲，只是这个人早已隔了风雨时空。纵算我们穷尽人海，也不能再与之相遇。因为她只有一生，她不会转世，亦不会依附在某个人或某种物的身上。但我们却会永远记住，这个让人珍爱的女子，这个不会老去的灵魂。所以，你寻她，她在这里；你不寻她，她也在这里。

水寒江静，月明星疏。在散场之前，我竟落下泪来。也许我们都该持有一颗良善的心，把今生当做最后一世，守候在缘分必经的路口，尊重每一段来之不易的感情。要知道，于千万人之中，遇见你所要遇见的人，要修多少年的缘分！

时光无涯，聚散有时。因为懂得，所以慈悲。

白落梅

2011年11月18日

【目录】

第一卷　民国临水照花人

临水照花·003

簪缨世族·010

春意迟迟·017

归来海上·024

时光如歌·030

第二卷　当知出名要趁早

孤独的云·039

青青校园·046

劫后重生·053

港岛岁月·060

天才梦想·067

第三卷　尘埃里开出花朵

乱世风烟·077

穷尽人海 · 174
执子之手 · 181
故乡月明 · 188

第六卷 今生只作最后一世

山穷水尽 · 197
日影如飞 · 204
倦掩心门 · 211
离群索居 · 218
急景凋年 · 225
最后一世 · 233

附录

张爱玲年谱 · 241

风华绝代 · 084
缘分路口 · 091
爱情毒酒 · 098
尘埃花开 · 105

第四卷 人生有情皆过往

倾城之恋 · 115
情深不寿 · 122
曾经沧海 · 129
独自萎谢 · 137
后会无期 · 144

第五卷 倾城后华丽转身

红尘擦肩 · 153
半生情缘 · 160
华胥一梦 · 167

第一卷 Chapter · 01

民国临水照花人

临水照花

【张爱玲语录】没有早一步，也没有晚一步，刚巧赶上了，那也没有别的话可说，唯有轻轻地问一声：『噢，你也在这里吗？』

月色倾城。这是上海滩，一座遍地都是传奇的都市。多少人，在这个充满诱惑的人间剧场，一意孤行地导演悲欢。从繁华灿烂，到寂寞黯然，消耗的也不过是数载光阴。时令徙转，浪里浮沉，有些人想要记住却被遗忘，有些人想要遗忘却总会记起。今夜，不知道那场沉睡多年的海上旧梦，又将被哪个行色匆匆的过客唤醒。

后来才知道，曾经许诺了地老天荒的人，有一天会分道扬镳；曾经说好了永不相见的人，有一天会不期而遇。缘分这条河流，从容飘荡，从来就不是你我所能把握的。张爱玲说过：于千万人之中遇见你所要遇见的人，于千万年之中，时间的无涯的荒野里，没有早一步，也没有晚一步，刚巧赶上了，那也没有别的话可说，唯有轻轻地问一声：“噢，你也在这里吗？”

你也在这里吗？谁曾有幸，被这一声婉转的询问，绊住了即将远行的步履。在恍惚的幸福中，做短暂的停留。原以为，这位穿过民国烟雨的惊世才女，无需在情感的路上依附于任何人。可她在熙攘人流中，还是为了一个陌生背影，转身回首。她终是俗世女子，渴望一个人可以用温情填满她凄凉的内心，从此与之烟火一生。

关于张爱玲，也许她的故事充满迷幻，让许多人无法真正懂得。但她的名字，却是众所周知。想起她，总忘不了那张尘封多年的黑白照片。穿一件旧色却华丽的旗袍，昂着高贵的头，孤傲又漠然地看着凡尘往来。那么的不屑，那么的无关悲喜。她是美的，带着极致的璀璨，亦带着坚定的孤独。让她做个寻常平庸的女子，自是不能。

在她不曾邂逅爱情的时候，已知爱是一场局，聪明如她，也只能做个局外人，无法真正知晓局内的境况。当她过尽千帆，抵达那个久违的渡口，却不知，流年偷换，岁月山河早已物是人非。明知飞蛾扑火，可她还是不管不顾地纵容自己，直到在最绚烂的时候灰飞烟灭，化作一地残雪，终肯作罢。

胡兰成说，张爱玲是民国世界的临水照花人。不错，张爱玲是灵性女子，她的文字似乎通晓世事，实则她的经历却很薄浅。她无需深入红尘，这个时代的一切自会来与她交涉。她不想成为传奇，可是她本身就已是传奇。张爱玲的才情是与生俱来的，所以她会在恰当的时候，恰当地自我绽放，自我枯萎。

世间没有一种植物可以配得了她，包括那种叫做独活的药草，也不能。可她却说："见了他，她变得很低很低，低到尘埃里。但她的心里是欢喜的，从尘埃里开出花来。"多么深情款款的话，莫说是倜傥风流的胡兰成，哪怕是任何一个平凡男子，都会对她俯首称臣。可那时的张爱玲，只为胡兰成花枝招展。并非她情迷双目，而是她需要一场不同凡响的爱，来装扮青青韶华。沉沦之时，亦是清醒。

于是，胡兰成做了那个幸运的赏花之人。他亦是真的爱了，因为张爱玲是他人生中一段意外的惊喜，是命定的恩赐。胡兰成的一生，邂逅了无数女子，他用最浮华的姿态，跪拜在她们的裙摆之下，最后都如愿以偿。但张爱玲，是唯一的传奇，也是他耗尽一生都还不了的情债。

胡兰成当初写下"愿使岁月静好，现世安稳"的词句，许下"同修同住，同缘同相，同见同知"的诺言。可眼前之人，芳华依旧，他却风云更改。不是遗忘，而是红尘路上山遥水远，他需要太多风景的相陪。

如今试想，倘若胡兰成果真守诺，愿和张爱玲安稳度日，张爱玲又是否真的可以做到如藤缠绕，不离不舍？

很难想象，这样一个骨子里冷傲疏离的女子，如何能够一花一草，一尘一土，那般操守得情深意长。胡兰成亦曾说过，张爱玲是个无情之人。在他认定是应当的感情，在张爱玲那都是没有的应当。可张爱玲真的无情吗？或许在她心底，情感分成许多种，有些爱相处若即若离就好；有些爱则需要将自己磨碎，和着岁月一起熬煮喝下去，才肯罢休。

不是张爱玲无情，而是千万人当中，她错遇了那个人。胡兰成的背离，让她觉得春水失色，山河换颜；觉得爱是惩罚，是厌倦。所以当她觉知一切无法挽回时，做了一次倾城的转身。而那个自以为是的男子，还认为她会守着那座古老的公寓，为他等到新月变圆。岂不知，衣橱里各式花样的旗袍还在，留声机的老歌还在重复旋转，而人，已放纵大涯。

张爱玲说，爱过之后的心，像被水洗过一样洁净。胡兰成的背弃，确实令她悲戚，可她依旧淡定地说："倘使我不得不离开你，不会去寻短见，也不会爱别人，我将只是萎谢了。"说这句话的时候，张爱玲的心就是一面深不可测的湖。虽被人投石问路，却宁静平缓，波澜不惊。

此后，是平庸，是惊世，是绚丽，是落魄，都与人无关。那种携手花开，静看日落的烟火爱情，早已不屑。背井离乡，是为了无爱无恨地活着；离群索居，是为了被人无声无息地忘记。所以她后来，没来由地选择和一个年过花甲的异国老者执手相望，亦是值得原谅。并非她不舍得萎谢，而是繁花疏落，需要一个百转千回的过程。

是否幸福，已不重要。是否可以走到终点，亦是无谓。当她誓与红尘决绝，就打算再也不回去了。显赫的家世，没落的贵族，风华的过往，都做了浮萍漂水。那些费尽心思来算计自己结局的人，其实早被命运算计。莫如做一个寡淡的人，任凭世事桑田沧海，我自从容不迫，无痛无恙。

日子原该这样朴素无华的，是时间左右了我们太多，才给了我们闯荡江湖的勇气，给了我们踏遍河山的决心。然而，岁月终究不肯饶恕，你走过的一山一水，要用一朝一夕来偿还。许多时候，以为幸福触手可及，可它却在天明的窗外，需要等到朝霞破暝的晨晓，才能将门环叩响。

在她韶华初好的时候，写过这么一句话：“生命是一袭华美的袍，爬满了蚤子。”该是怎样明澈的女子，能够悟得如此醒透。仿佛她真的是个天才少女，可以煮字论命，卜算前世今生之卦。她明白，人生从来就不是唐诗宋词，不是阳春白雪。所以有一天，如若遭遇了种种风霜不幸，实属寻常。而尘世于她，不过是一件遮身蔽体的旗袍，褪去了，便什么也不是。

她的文字像一把华丽又寒冷的剑，而她是那个临水照花人，优雅地挥舞她的剑，可以舞动落花的烂漫，亦可以粉碎明月的光芒。如果说她曾经误入花海，是为了成全一场姹紫嫣红的花事。那么匆匆旅途中，一次蓦然回首的遇见，也只是刹那惊鸿的留影。不是她转身太急，而是没有人值得她等到迟暮。

是那万水千山过尽，是那春风误了一生。尽管世事依旧锋芒毕露，可她无所畏惧，在无可回忆的时候，牵挂已是多余。心如夜雨涤尘，真的干净了。她让自己孤独遗世，活到鸡皮鹤发，活到忘记自己当年的模样，甚至名和姓。多么彻底啊，也只有张爱玲，可以这样孑然独我，不同流俗。

十六年前的那个月圆之夜，她沉沉睡去，并且再也没有醒来。那一晚的时光，寂静无言，仿佛听得到尘埃落地的声息。许多人都在这样猜测，张爱玲转世后，究竟去了哪里，化作什么。可我至今相信，没有任何生物可以取代她。这样的女子，根本就不需要来生，一生足矣。

一切众生皆有情，一切众生皆过往。愿此时平淡，若彼时灿烂。唯有真正拥有，才不负一世光阴。风流云转，又是清秋时节。也许我们真该相信，那个叫张爱玲的女子，着一袭华美旗袍，穿过民国烟雨，穿过旧上海悠长的弄堂，正风情款款地向我们走来。

簪缨世族

【**张爱玲语录**】老年人回忆中的三十年前的月亮是欢愉的，比眼前的月亮大，圆，白；然而隔着三十年的辛苦路往回看，再好的月色也不免带点凄凉。

落霞孤鹜，秋水无尘。倚一扇老旧的轩窗，看过落花飞雨，又见明月中天。终于明白，只要内心澄明，哪怕处身乱世，风云骤起，日子亦可以简静清朗。李白有诗吟："今人不见古时月，今月曾经照古人。"的确，无论世事山河覆雨翻云，那一轮明月，始终净若琉璃，千里澄辉。

人世浩荡，我们只不过是寥廓银河里的一颗星子，是碧蓝沧海里的一朵浪花。关于如何降落到这人间，我们一无所知；关于降临到哪里，亦是无从选择。总之，前世的荣华与清苦，喧闹与岑寂，都和今生无关。生命原本就充满了太多的惊奇与杜撰，没有谁可以清楚地诠释那些隐藏在剧幕后的谜底。

张爱玲，亦是一颗星子，只是恰遇晚云收起，她比凡人更明亮些。九十年前一个寒意渐起的中秋，她出生在十里洋场的上海。那一天，是农历八月十九。月圆之后的几日，想必夜间仍有清辉铺洒在瓦檐里弄，阁楼窗台。仿佛从此，她就这样与秋月结缘，被这剪清凉萦绕了一生。

世间因缘和合，并非偶然。多年以后，她写了这么一句话："月亮该是铜钱大的一个红黄的湿晕，像朵云轩信笺上落了一滴泪珠，陈旧而迷糊。"这个女孩，在未经多少春风秋雨时，便已世事洞明，人情练达。有人说，张爱玲惊世不凡的才情，缘于她高贵的血统。所以至今人们提起张爱玲，仍津津乐道于她是簪缨世族，豪门之后。

岂不知，随着大清帝国的穷途末路，那些冠盖如云的晚清贵族，早已失去了值得炫耀的资本，更多的是背负着一种无所适从的颓败与没落生存于民国。张爱玲出生在上海公共租界的张家公馆，临近苏州河。这座清末民初的老洋房，是晚清名人李鸿章留给后代的唯一礼物。

我们甚至可以想象当年这座宅院是何等气派，高雅园林，逸趣横生。阳光抵达之处，尽是草木葱茏。历史更替，几十载的光阴，已将诸多这样的豪门大族化作尘土。从此，朝代又多了一个触摸不到的暗伤。张爱玲在这座老宅里，还可以感受到先人留下的余温。只是辉煌的过往，已不复存在。

张爱玲后来有过一段很是动情的话："我没赶上看见他们，所以跟他们的关系仅只是属于彼此，一种沉默的无条件的支持，看似无用，无效，却是我最需要的。他们只静静地躺在我的血液里，等我死的时候再死一次。我爱他们。"这里的"他们"，自然也包括李鸿章。可见张爱玲并非真的无情，在她看似冷艳的外表下，藏着一颗热诚怀旧的心。李鸿章，晚清重臣。他官至直隶总督兼北洋通商大臣，授文华殿大学士。张爱玲的祖父张佩纶在青年时代，是个旧时官场的清流人物，耿直自负。他不仅在正史上留名，还被写进著名的四大谴责小说之一的《孽海花》中。在张佩纶年过四十，仕途不济之时，李鸿章对他伸出了援手，将年仅二十二岁的爱女李菊耦许配给他。究其缘由，或许是因了政治，或许因了其他，已不得而知。

然而，张佩纶在官场上大势已去，他没能东山再起。但李鸿章没有亏待他们，送给女儿殷实富足的嫁妆。至于田地多少，房产几处，古董价值几何，没有准确数目。但是几十年后，分到张爱玲父亲名下的财产，计有花园洋房八处及安徽、河北、天津的大宗田产。

笙歌归院落，灯火下楼台。历史就像一场散去的戏，可那气焰熏天的繁闹，在时代的夜空久久回荡，不肯退去。甲午战争爆发，北洋水师又遭败绩，大清国被迫签下屈辱的《马关条约》。李鸿章因此也成了民族罪人，门庭冷落。不久后，李鸿章在落魄不达的悲哀中死去。而张佩纶变得更加颓废，饮酒浇愁，度过残生。

李鸿章死后仅一年多，张佩纶也抑郁而终。他抛下爱妻和一子一女，男孩是张爱玲的父亲张廷重，女孩就是张爱玲一直深为喜爱的姑姑张茂渊。繁华疏落的家族，带给他们的是一种难以言状的伤感。尽管前朝留下的万贯家财，让他们依旧可以过上锦衣玉食的生活，有一天终会坐吃山空。如此境况，像是日落前的短暂余晖，有一种无可挽回的遗憾和壮美。

在民国初年，这样没落的贵族家庭数不胜数。他们从宾客如云的盛景，刹那间跌入了无人问津的角落。有人满腹牢骚，有人醉生梦死，有人惶恐不安，也有人简朴度日。他们寄居在祖上遗留的房舍里，隔着轩窗看纷呈万象。曾几何时，属于他们的绚丽时光，如今成了别人的风景。

张爱玲的父亲张廷重，做了这个时代的悲剧人物。他自小熟读八股文，终日绕室吟哦，滔滔不绝。可自从科举废除，他满腹学问，已经不合时宜。尽管他也想跟随时代激流，走出这个腐朽家族的阴影。可是前朝名臣后裔的身份，让他在新旧杂陈的人生况味里进退两难，他这一生都没有摆脱祖上遗留下来的风气。而他的人生，还不曾扬帆远航，就已失去方向。

张爱玲还记得，小时候见到父亲屋里到处乱摊着各式小报，让她有一种回家的感觉。此后张爱玲喜欢读市井小报，也是受到父亲的影响。乃至她对《红楼梦》、《三国演义》的兴趣，也是源自于父亲。她甚至在很小的时候，就能感知父亲内心那种无所适从的寂寞。她说，父亲的房间里永远是下午，在那里坐久了便觉得沉下去，沉下去。

后来这位前朝遗少，因无法舒展平生抱负，染上了抽大烟、纳小妾的嗜好。他期望用另一种与梦想大相径庭的快乐，来麻醉自我。张爱玲和张廷重一样，背负着七零八落的贵族血统，用自己的方式，卑微又骄傲地活着。只是他们毕竟不是活在李鸿章的时代，所以他们的荣辱并不直接相关。他们这一生，从未真正富有过。

张爱玲的母亲黄素琼，亦是名门千金。但她对这宗媒妁之言，宗族包办的婚姻，并不情愿。她没有上过新学堂，甚至还缠过脚。可她却拒绝陈腐，渴望新潮，她崇尚独立，不愿依附像张廷重这样的男人。张爱玲也说过她母亲是“踏着这双三寸金莲横跨两个时代”。

黄素琼濡染了五四风潮的新事物，成了民国初期一位时尚的新女性。她之后的人生，也因为她的果敢而生出许多意想不到的惊奇。看过一张黄素琼的黑白照片，面容清秀，目光深邃，眉间自有一份孤傲与高远。这样的女子，如何经受得起张廷重那种醉生梦死的活法。或许为了维持这段婚姻，为了孩子着想，她试图劝诫过、努力过，但那时的张廷重早已被鸦片迷了心性，纵是想要回头，也力不从心了。

所以黄素琼干脆冷了心，给自己寻找乐趣，花心思学钢琴、读外语、剪裁衣服。任由张廷重关在屋内吞云吐雾，或在外面纳妾嫖妓，她全然不顾。当一个女人不再爱一个男人的时候，那个男人无论犯下怎样的错误，她都不屑去过问。任何的询问与低唤，都是烦腻的纠缠。黄素琼不仅对丈夫漠不关心，甚至舍得丢下一双儿女，去开始自己的人生。

张爱玲的姑姑张茂渊也是个新派女性，她同样看不惯兄长张廷重的陈腐，与嫂子黄素琼意气相投。她们形同姐妹的感情，给这个沉闷的家庭增添了几许鲜活的气息。姑姑张茂渊给张爱玲以后的人生亦带来了许多温情，她曾经说过："乱世的人，得过且过，没有真的家。然而我对于我姑姑的家，却有一种天长地久的感觉。"

张爱玲体内虽流淌着贵族血液，可在不曾绽放、便已凋谢的家族里，她的人生无疑添了更多的戏剧性。但我始终相信，一个人的才华与出生没有瓜葛，一切因果，缘于前生。岂不知，命运之神，早已守候在你今生必经的路口，不期然地与你相遇。之后用它认定的方式，主宰你的一生。张爱玲，这颗闪亮的星辰，亦跳不出柔软时光，逃不过尘世的种种劫数。

春意迟迟

【张爱玲语录】悠长得像永生的童年，相当愉快地度日如年，我想许多人都有同感。然后崎岖的成长期，也漫漫长途，看不到尽头，满目荒凉。

春山如黛，垂柳画桥。白云出岫，倦鸟还巢。采一束不知名的野花，扎一个紫藤的秋千架；看几只燕子筑巢，或和几只蚂蚁对话。这样美好的时光，仿佛留在那个叫童年的记忆里。悠长，不复与见。

每个人都有属于自己的童年时光。无论幸与不幸，但欢乐总是比苦闷多。因为任凭世事飞沙走石，那颗童心始终光洁如镜，纯真美好。少年就开始做雨打芭蕉的梦，为赋新词强说愁。之后那个漫长的成长过程，像是江南的梅雨季节，怎么也看不到晴天。再往后的岁月，日影如飞，说老就老了。

惊世才女张爱玲，亦同我们一样，有过一段简约如画的童年。也许她的童年并非尽如人意，但对于一个小小女孩，她所能铭记的，依旧是那些值得留恋的趣事。人的一生，最美好、最洁净、最单纯的回忆，莫过于童年旧事了。张爱玲后来在她的作品《私语》里，有过对童年那段日子，比较细致入微的描写。

张爱玲两岁那年，张廷重因为和二哥张志潜的关系不和睦，举家从上海搬迁到天津。张志潜是张廷重同父异母的二哥（大哥早夭），为张佩纶与原配夫人朱芷芗所生，比张廷重大十七岁。天津的那座洋房在英租界里，房子是当年爷爷张佩纶结婚时自己购置的，亦算是豪华宽敞。而张廷重来到这里，无人干涉，更是有恃无恐地纵情享乐，自在逍遥。

那时候的张爱玲还不叫张爱玲，叫张煐。这个名字确实有些生僻，至于谁取的已不得而知，世人所知道的都是那个叫做张爱玲的民国才女。在天津的生活，对小张煐和她弟弟张子静来说，是明亮而静美的。她曾说过，天津的家有一种春日迟迟的空气，让她喜欢。想来，她那时年纪尚小，所看到的只是浮华的表象，而历史所带给那个家族的衰落阴影，她还不能体会得到。

弟弟张子静在晚年时对天津那段生活，有过饱含感情的回忆：“那一年，我父母二十六岁，男才女貌，风华正茂。有钱有闲，有儿有女，有汽车、有司机；有好几个烧饭打杂的佣人，姊姊和我还都有专属的保姆。那时的日子，真是何等风光啊！”

是的，何等风光。倘若甘愿做一个平凡的人，安于现状，守着殷实的祖业，也算是一种幸福。但许多人始终念念不忘祖上的鼎盛光辉，还做着不可逆转的前朝旧梦。他们的心在激流里飘荡，永远都无法平静。

当然，这些沉重的历史，在小张煐的童年记忆里都不存在。她只记得院内有一个秋千架，她的快乐时光以及童年的梦，在秋千架上放飞。她记得后院养了鸡，夏日的中午她穿着白底小红挑子纱短裙，红裤子，坐在板凳上，喝完满满一碗淡绿色、涩而微甜的六一散，看一本谜语书，沉浸在迷幻的世界里，朦胧有趣。唱几首童贞婉转的歌谣，欢快无比。

天井一角架着个青石砧，有个通文墨，胸怀大志的底下人，时常用毛笔蘸了水在上面练习写大字。他瘦小清秀，讲《三国演义》给小张煐听。或许是因为她自小就对文字敏感的缘故，小张煐没来由地喜欢他，替他取了一个莫名的名字叫“毛物”。而毛物的妻子，被她称为“毛娘”。毛娘生着红扑扑的鹅蛋脸，水眼睛，藏了一肚子“孟丽君女扮男装中状元”的故事。

领弟弟的女佣唤做“张干”，裹着小脚，伶俐要强，处处占先。领小张煐的叫“何干”，因为带的是个女孩子，自觉心虚，凡事都让着她。也因此，张爱玲在小的时候就想到要男女平等，想到要锐意图强，凡事务必胜过弟弟张子静。后来张子静在回忆录里说：“她不必锐意图强，就已经胜过我了。这不是男女性别的问题，而是她的天赋资质本来就比我优厚。”

弟弟张子静从小体弱多病，却实在长得秀美可爱。小张煐任性好强，有着奇异的自尊心，对弟弟不甚喜欢。但她毕竟是个未谙世事的孩子，况且她在天津除了弟弟，只怕没有几个玩伴。所以他们姐弟之间的情意一直不算深厚，但也不至于疏离。

张爱玲在《私语》里还写道：“我记得每天早上女佣把我抱到她床上去，是铜床，我爬在方格子青锦被上，跟着她不知所云地背唐诗。她才醒过来总是不甚快乐的，和我玩了许久方才高兴起来。”这里的她，指的是张爱玲的母亲。在张爱玲的记忆里，母亲似乎一直都不是很重要。家里没有母亲，也不感到任何的缺陷。

张爱玲的这篇《私语》，描写了许多她在天津的童年趣事。读完之后，勾起了许多人对童年时光的美好记忆。与鲁迅的《从百草园到三味书屋》，还有林海音的《城南旧事》有着相似的趣味，都让人情不自禁地想起那些春水渐涨，燕子来时的青葱岁月。童年是锁在抽屉里，那一张张黑白的老照片。光阴过去越久，越值得怀想、回味。

小张煐四岁不到的时候，家里给她和弟弟请了私塾先生，从此悠长的诵读成了她年幼时又一段美好的记忆。从雾霭迷蒙的晨晓，到烟霞云敛的黄昏。窗外稀疏的星光，挂在梧桐树上，清辉洒地。几只倦鸟返巢，江岸垂钓的老翁，也踏着山径归来。始终相信，在张爱玲幼小的心灵深处，有一方外人所窥见不到的天地。那时候的她就已经悟得到自然万物，有着各自不同寻常的美丽。

在小张煐的记忆中，还有一位苍凉的老人。这个老人是她的堂伯父张人骏，有时佣人会带她去请安。她对他的印象，以及当时的场景，到成年后依旧历历在目。她记得一个高大的老人家永远坐在藤椅上，此外似乎没有什么家具陈设。她唤一声：“二大爷。”这位老人每次都问：“你认了多少字了？”然后就是“背个诗给我听”。而他每次听到“商女不知亡国恨，隔江犹唱后庭花”就流泪。

那种不知所以的苍凉，像一幅画，就这样镂刻在张爱玲脑中。当时的她，并不懂得这个老人为何总听那句诗落泪。那场弥漫在民国时代的前朝遗风，在许多人心上，划过了无以复加的伤痕。但一个对人世恍惚的小女孩，还无法从中辨别出其间的无奈与悲凉。她的世界，似那片琉璃月色，干净，纯粹。

张爱玲四岁的时候，因为姑姑张茂渊要出国留学，母亲趁此机会借口要陪同小姑出洋，给自己改了一个文艺新潮的名字，黄逸梵。她就这样不顾一切，抛夫离子，远走高飞去了英国。此后关山万里，沧海无垠，再重逢，不知是何年哪月。她是个敢于求索的女子，哪怕前途渺茫，一无所获，也强过在这个腐朽的家里屈辱一生。

不是她心狠，是这个残缺零落的家，实在找不到容身之处，更别说安放心情。黄逸梵是一只民国青鸟，不甘愿囚禁在这座潮湿发霉的老宅，她渴望水波潋滟的盛日。所以她割舍亲情，将自己放逐天涯，去追求自己内心的花好月圆。

没有值与不值，没有对与不对。因为人生的方向，从来就没有标准。找一条适合自己的路，坚定地走下去，是穷途末路还是一马平川，都要无悔。张爱玲在日后谈到对母亲的印象，说："我一直是用一种罗曼蒂克的爱来爱着我的母亲的。她是个美丽敏感的女人，而且我很少有机会和她接触，我四岁的时候她就出洋去了，几次来了又走了。在孩子的眼里她是辽远而神秘的。"

的确，这位新潮的母亲，坚强得甚至有些冷漠。她的一生似流云来去自由，飘逸中带着迷幻，冷傲里藏有温情。在张爱玲生命中许多场宴会里，她总是缺席，却又无处不在。

张爱玲从来没有责怪过她的母亲，以她的心性和情怀，比任何人都要深刻地理解母亲的选择。既然没有力气去爱陌生的别人，那么就爱珍贵的自己。

因为懂得，所以慈悲。

归来海上

【张爱玲语录】回忆这东西若是有气味的话，那就是樟脑的香，甜而稳妥，像记得分明的快乐，甜而怅惘，像忘却了的忧愁。

春日迟迟，光阴就这样缓慢地过去了。许多值得回味的片段，最后也似淡水清烟，模糊不清。能够记住的，只是人生岁月里，必定不能遗忘的情景。其实世间最美的，莫过于四季流转，让我们遍赏春花绚丽，秋月朦胧。

如今想来，那些身处民国时代的前朝遗少，大可不必怨天尤人，醉生梦死。要知道，江山经历无数次的更改，沧海无数次变幻桑田，只不过恰好被你遇见而已。多少人，被烟熏火燎的历史给呛伤，但物转星移，时间会修复所有伤痕。那时候，山河寂静，盛世平宁。

天地沙鸥，同样微如芥子。张爱玲的父亲张廷重，沉溺在乱世烟火中，自暴自弃。张爱玲的母亲黄逸梵却挣脱俗世藩篱，渡船远去。人生如一场梦，只是醒梦谈何容易。哪怕选择自己最想走的路，也无法做到彻底地洒脱。

黄逸梵留洋的时候，张爱玲虽然只有四岁，但她对母亲别离时的感伤，有着非常清晰的记忆。“我母亲和我姑姑一同出洋去，上船的那天她伏在竹床上痛哭，绿衣绿裙上面钉有抽搐发光的小片子。佣人几次来催说已经到了时候了，她像是没听见，他们不敢开口了，把我推上前去，叫我说：‘婶婶，时候不早了。’（我算是过继给另一房的，所以称叔叔婶婶。）她不理我，只是哭。她睡在那里像船舱的玻璃上反映的海，绿色的小薄片，然而有海洋的无穷尽的颠簸悲恸。”

可见黄逸梵走得并不决绝，因为她舍不得。母亲的离去，难免给张爱玲的童年生涯，带来些许遗憾，但她习以为常。黄逸梵走后，张廷重包养在小公馆的妾，就堂而皇之地搬进来了。小张煐唤这位姨太太为姨奶奶，早在小公馆的时候，张廷重就抱她去那里玩过。所以她的到来，对小张煐来说并不陌生。

这位姨太太的出身远不及黄逸梵那样高贵，她本是张廷重在外面寻花问柳时所结识的妓女。只因有几分姿色，又解风情，才被张廷重包养。如今这里的女主人留洋远去，她亦算是青云直上。张廷重每日抱着大烟吞云吐雾，只要姨太太把他伺候得舒坦，其余的大小事务，便不再过问。

姨太太搬进来的那段生活，张爱玲在《私语》中，有过简短的描写。“母亲去了之后，姨奶奶搬了进来。家里很热闹，时常有宴会，叫条子。我躲在帘子背后偷看，尤其注意同坐在一张沙发椅上的十六七岁的两姊妹，打着前刘海，穿着一样的玉色袄裤，雪白地偎倚着，像生在一起似的。”

年幼的张爱玲尚不能解这般风尘的场景，只是觉得好奇，以一个小主人的身份参与他们的盛宴。而姨太太不喜欢弟弟张子静，便对张爱玲甚为宠爱。每晚带她到一个叫“起士林”的西餐馆去看跳舞，给她吃雪白的奶油蛋糕。直到月色昏昏，才让佣人背着回家。

姨太太还给小张煐做了一套雪青丝绒短袄和长裙，笑着对她说：“看我待你多好！你母亲给你们做衣服，总是拿旧布料东拼西改，哪儿舍得用整幅的丝绒？你喜欢我还是喜欢你母亲？”一个天真单纯的孩子，哪里分辨得出人与人之间复杂的感情。她自是满心欢喜地答道：“喜欢你。”为此，长大之后的张爱玲还觉得自己当初不该那样见利忘义。然而，这是一个小女孩真实的想法，毕竟姨太太给她做衣裳，也并非出于纯粹的讨好。

但姨太太和张廷重毕竟只是露水情缘，无法长久。张廷重虽然喜欢采折天涯芳草，却在她们凋零之时，随手丢弃，不再眷念。在他心中，黄逸梵的地位只怕谁也不能取代，可惜他本有心托明月，谁知明月照沟渠。黄逸梵无法将她美丽柔软的感情，交付给这样一个不解芳心的男人。

姨太太走了，原因是她和张廷重吵架时，用痰盂砸破他的头。于是族里有人出面说话，逼着她走路。本就不是明媒正娶，她的下场早在来时就可预见。她在这座豪华的洋房里也算是风光了一阵，被赶走也并无多少遗憾可言。走的那一天，小张煐坐在楼阁的窗台上，看见大门里缓缓出来两辆榻车，都是姨太太带走的银器家什。仆人们都说："这下子好了！"

可见姨太太在府中并不得人心，此去经年，前程未卜，但她以后的人生未必只是寥落。母亲的出走都不曾给小张煐的心灵泛起更多涟漪，所以姨奶奶的离开更是微不足道了。离别的感觉，也许到她长大后才能深刻懂得。有些人走了，像一缕清风，无牵无碍。有些人离开，似要将魂灵一同抽去，痛彻心骨。姨太太属于前一种，对小张煐来说，那一天车行缓缓的情景，如同看一场日落那般寻常。

姨太太走后，整个家从繁杂喧闹中，骤然间变得安静无声。而张廷重也因了近年来抽鸦片、嫖妓和姨太太打架等诸多丑闻，闹得四处流言蜚语。他在天津自觉待着无趣，回首往事，遗憾涌上心头，于是决意痛改前非。他写信给远在英国的黄逸梵，承认错误，答应戒鸦片，从此再不纳妾，只求她回国，重新把家安置到上海。

黄逸梵居然同意了，至于是何种原因，并不清楚。也许是几年漂泊，有些疲累，想要回到旧巢做短暂的栖息。也许是想要回来，和张廷重做最后的了断。又或许是想念一双儿女，回家重续这段亲情。总之她答应了，后来她对小张煐说过："有些事等你大了自然就明白了。我这次回来是跟你父亲讲好的，我回来不过是替他管家。"

这一年，张煐八岁，她在天津这段快乐的童年生活，就此戛然而止。那时候的她并不知道，她行将奔赴的城市叫做上海滩，也不知道，她有一天会在这座风起云涌的大都市，掀起波澜壮阔的文字浪潮。她是有幸的，命运在无形之中给了她一次选择的机会，成就了她不同凡响的未来。上海滩因为这个倾城女子，而有了另一种惊世的美丽。

小张煐登上了开往上海的船，旅途给她带来的是难以言说的喜悦："坐船经过黑水洋绿水洋，仿佛的确是黑的漆黑，绿的碧绿，虽然从来没在书里看到海的礼赞，也有一种快心的感觉。睡在船舱里读着早已读过多次的《西游记》。”

抵达上海后，这座国际性的大都市，显然比天津更为繁华似锦。“到上海，坐在马车上，我是非常挎气而快乐的，粉红底子的洋纱衫裤上飞着蓝蝴蝶。我们住着很小的石库门房子。红油板壁。对于我，那也是有一种紧紧的殊红的快乐。”

父亲张廷重到了上海之后，并没有获得重生之感。相反他因为心力交瘁，加之旅途劳累，打了过度的吗啡针，离死亡很近了。他独自坐在阳台上，听着窗外哗哗的雨声，嘴里不知所云，让小张煐感到害怕。但这一切，都有惊无险。上海虽然没有替他挽回往日鼎盛的家族，却续写了他的人生。

当张爱玲来到上海，由惊喜转为恐惧的时候，佣人告诉她，母亲和姑姑要回来了，她应该高兴。的确，这样毫无防备的迁徙，令小小的她需要温情的偎依，尽管倔强的个性让她并不怯懦陌生，但她毕竟还是个孩子。

海上花开，海上花落。这座城，虽没有天津春日迟迟的空气，却主宰了她一生的命运。她最传奇的故事，因上海滩开始，也因上海滩结束。此刻，黄浦江涛声依旧，水上的涟漪，荡漾着许多不知朝代的从前。从无到有，由缓至急。它知道一些什么？又能告诉我们一些什么？

时光如歌

【**张爱玲语录**】照片这东西不过是生命的碎壳；纷纷的岁月已过去，瓜子仁一粒粒咽了下去，滋味各人自己知道，留给大家看的唯有那狼藉的黑白的瓜子壳。

这个清晨的外滩，刚刚苏醒。雾中的高楼，褪尽了一夜的灿烂繁华，披上了朦胧色彩。黄浦江畔，汽笛的鸣响，破开平静的水面，将日出江花，写成一幕撩人心扉的风景。这座城市所有的记忆在顷刻间被打开。那些黑白影像，还有过往时光，从来不曾被人遗忘。

黄浦江两岸，无数艘轮船在江上游走，它们迎来归人，又送走过客。张爱玲的母亲黄逸梵和姑姑张茂渊，就是乘其间的一艘轮船回国的。一路风尘的赶赴，几年时光，竟不知这座城市早已优雅地换上新的华装。

小张煐清晰地记得，母亲回来的那一天，她吵着要穿上她认为最俏丽的小红袄，可是母亲看到她第一句话就说："怎么给她穿这样小的衣服？"也许经过四年欧风熏染的黄逸梵，品味早已和从前大相径庭。再者突然看到自己离别几载的女儿已经长大，心生一种陌生的怜惜吧。不久后，她就做了新衣裳，而她亦因为母亲的回来，和过往的生活诀别，在上海重新开始她的人生。

张廷重见到妻子回来，万分激动，发誓痛改前非，让过往种种都为烟尘。他被送去医院治疗，这个家似乎又回到了从前，停止纷乱，多了一份祥和。全家人住进了宝隆花园的一座欧式洋房里，张爱玲在《私语》里记述道："我们搬到一所花园洋房里，有狗，有花，有童话书，家里陡然添了许多蕴藉华美的亲戚朋友。我母亲和一个胖伯母并坐在钢琴凳上模仿一出电影里的恋爱表演，我坐在地上看着，大笑起来，在狼皮褥子上滚来滚去。"

房间墙壁的颜色，可以按照自己的想法，去随意调配、修饰。第一次生活在自制的世界里，温暖而亲近，小张煐内心的喜悦难以言说。她甚至还给天津的一个小玩伴写信，描写她的新屋，画上了几个图样。那时的她已经充满了创意，向往心灵自由。她懂得，哪怕是一株草木、一块山石，也需要依照自己的方式成长，才可以活出自己的骄傲和尊严。

母亲开始关心小张煐的成长，让她学绘画、弹钢琴、学英文。她将西洋的那种浪漫气息带至这个家庭。小张煐仿佛住进了童话般的城堡里，她被母亲优雅华美的气质感染，爱上了这样温馨幸福的时光。天津的童年，仿佛已经成了一段久远的往事，被流年锁进了记忆的相片里。张爱玲后来对这段生活生出感慨："大约生平只有这一个时期是具有洋式淑女风度的。"

母亲穿起时尚漂亮的洋装，弹着优美的钢琴曲，告诉她英国是个美丽的雾都，时常下着浪漫多情的烟雨。那时候，小张煐的心里充满了一种感伤。她看到书里夹的一朵花，听母亲说起她不同寻常的历史，说起那些浮华清凉的往事，竟掉下泪来。小张煐的内心深处，已经知晓世情冷暖，只是她还无法用恰当的语言来表达那份情怀。

八岁，她读《红楼梦》和《三国演义》。里面的锦词佳句，勾起她与生俱来的文字情结。这本叫做《红楼梦》的文学巨著，从此伴随了她一生的写作生涯，不离不弃。始终觉得，张爱玲惊世的才情，和她自小读《红楼梦》有着莫大的关联。一本红楼，让许多迷茫失落的文人找到了依托，哪怕是残荷冷月，都有了意境，有了风雅。

后来张爱玲说："人生恨事：（一）海棠无香；（二）鲥鱼多刺；（三）曹雪芹《红楼梦》残缺不全；（四）高鹗妄改死有余辜。"张爱玲还写了一部作品《红楼梦魇》，那些别出心裁的见解，让她自己形容考据《红楼梦》是一种疯狂的情形。故得句："十年一觉迷考据，赢得红楼梦魇名。"

张爱玲在八岁之前就读过《红楼梦》，那时候是受到父亲的影响。每次她看明月挂在窗外，皓辉千里，总会想起从前的许多模样。看到春风拂柳，燕子来时，竟说不出一句话来。她不知，那份古典情结种在心里，早已生根发芽。而母亲带来的西洋文化并未与之抵抗，相反张爱玲将它们巧妙地糅合在一起，并在未来的岁月里得到极致的发挥。

黄逸梵因为留过洋，又是民国初期的新女性，自己没受过正规教育，尝过男女不平等的苦，她不想让自己的女儿重蹈覆辙。加之她很早就发现女儿有着比寻常孩子更好的天赋和悟性，她希望女儿可以进学堂，接受新式教育，让这朵人间奇葩，可以在雨露和阳光下，静静开放，不负锦绣光年。

为了上学堂的事，黄逸梵几次三番和张廷重提起，都无法得到他的认同。张廷重不答应，他不愿在这上面花钱，再则或许他依旧坚持于传统的思想。两人为此争吵过，张廷重还是固执己见，大闹不依。黄逸梵索性不与他沟通，趁他休息之时，带着女儿直接去了教会办的黄氏小学。因为之前小张煐已有厚实的国学基础，所以一进去，就直接插班到六年级。

这一年，小张煐十岁。在报名处填写入学证时，黄逸梵一时犹豫，总觉得“张煐”这两个字叫起来有些不响亮，不生动。但又无法在短时间内想出更好的名字，于是暂用英文名字Eileen“胡乱”译了中文，写成“爱玲”填上。黄逸梵那时想着，日后再好好更改也不迟。但她万万没有料想到，就是这个叫张爱玲的名字会风靡整个上海滩，乃至在中国文学史上，都刻下了深沉华丽的一笔。

或许是时间久了，张爱玲这名字，成了一种习惯。尽管她自己一直不满意，甚至觉得自己的名字恶俗不堪，但是她最终还是从容接受。她曾说过这么一句话："我愿意保留我的俗不可耐的名字，向我自己作为一种警告，设法除去一般知书识字的人咬文嚼字的积习，从柴米油盐，肥皂，水与太阳之中去找寻实际的人生。”毕竟是张爱玲，哪怕沉落红尘，也要入骨彻底。

一九三一年秋天，张爱玲就读上海圣玛利亚女校。她有着很好的文学天分，其余各科成绩也十分优异。上学以后，她一直坚持学钢琴。日子如歌，总是给那些懂得生活，尊重情感的人以雅致，以高贵。岁月会情不自禁地为她们留下刹那韶华，瞬间春光。

当张爱玲开始学会用文字来寄怀心事，懂得调一杯情绪，自斟自饮的时候，命运又自作主张地做了一次转弯。后来，她才明白，这几年家里的快乐与幸福，其实一直都是表象。留洋之前的母亲无法接受父亲的沉沦，留洋归来的母亲更轻视父亲的败落。

张廷重太不争气了，他病重出院后，没有遵守诺言，洗心革面重新做人，反而有恃无恐地操起了烟枪，重新做回原来的自己。他又怕黄逸梵再次离家，便使出计谋，不肯拿出生活费，让妻子贴钱。他的打算是，等黄逸梵把钱用光了，想要远走高飞，都没有护航的羽翼。

如此做法，实在卑鄙。张爱玲对父母的行为亦是印象深刻，她后来有多部小说，都出现过男人企图骗光女人钱财的情节，如《金锁记》、《倾城之恋》、《小艾》等。可见，小说的素材来源于生活，尽管张爱玲是天才，但是天才背后也需要故事来填充。张爱玲的家世背景无疑成了创作的源泉，让她以后的文字更加有血有肉，感人肺腑。

父母终于离婚了。经历了一段漫长的争吵，张爱玲甚至渴望父母早点结束他们悲剧的婚姻。父母的离婚没有征求她的意见，但她心里却表示赞成。因为她明白这个家再也维持不下去了，时间越久，只会看到更大的破碎。

张廷重起先是不同意的，但他理亏在先，视诺言为尘土。他想要再度挽回时，黄逸梵只说了一句话："我的心已像一块木头！"滔滔逝水，任谁也不能力挽狂澜。张廷重在离婚协议上签了名字。这醒目的一笔，结束了中国式的悲哀婚姻，彻底解散了一个家，也放任了两个灵魂的自由。张爱玲对父母的离异，似乎一直表现得云淡风轻。但我们都明白，她内心的惆怅与伤害在所难免。

人生就像一部起伏有致的小说，情节环环相扣。缺少任何一步，或者任何一个地方做了删改，都无法按照从前的安排走到终点。既是注定，亦不必患得患失，顺应自然走下去。无论路途有多少沟壑，都需要自己去填满。逃避无用，这世上，别人无法代替你去成熟。

第二卷 Chapter·02

当知出名要趁早

孤独的云

【张爱玲语录】仰脸向着当头的烈日，我觉得我是赤裸裸地站在天底下了，被裁判着像一切的惶惑的未成年的人，闲于过度的自夸与自鄙。

那些梨花似雪、晨鸟歌唱的日子，就这样不见了。童年的矮墙下，那株梧桐早已高过屋檐。午后阳光下，那只轻盈的粉蝶，是否也会红颜老去。还有萤火虫的夜晚，那个未曾讲完的故事，又该由谁来继续说下去。岁月总是趁人不备的时候，渐渐地爬满了你我的双肩。童年那场惺忪未醒的梦，支付给了流年，唯有光阴如影相随，至死不渝。

要相信，世事的安排其实很公平，没有刻意。张爱玲父母离异，也许给她的心灵带来破镜难圆的遗憾，但命运自会给她另一种交代，人生需要用一针一线的日子来修补。母亲搬走了，和她一起走的还有姑姑张茂渊。姑姑一向与父亲意见不合，加之她曾和母亲一同留洋，相处十分融洽。

她们住进法租界的一座西式大厦，买了一部白色汽车，雇了一个白俄司机、一个法国厨师，过起了优雅而时尚的生活。父亲也搬到另一处弄堂房子，继续他想要的逍遥日子。父母有了协议，张爱玲可以经常去探看母亲。于是，母亲的居所成了她疲惫之时的港湾。她相信，迷惘的时候，母亲的窗外，总会有一盏灯是为她点亮的。

在母亲的公寓里，张爱玲第一次见到生在地上的瓷砖浴盆和煤气炉子。那时候，她很高兴，觉得有了安慰，有了寄托。然而这份温暖也只是暂时的，母亲又要出国了，这一次她要去法国学绘画。在家庭和自由之间，黄逸梵曾经选择了自由。当那场悲剧婚姻彻底了断时，她更是如释重负，以后便是一个人的天下，一个人的江湖。

那时张爱玲住校，母亲在临别时到学校看她。这次离别的情景，张爱玲曾有过一段描述："她来看我，我没有任何惜别的表示，她也像是很高兴，事情可以这样光滑无痕迹地度过，一点麻烦也没有，可是我知道她在那里想：'下一代的人，心真狠呀！'一直等她出了校门，我在校园里隔着高大的松杉远远望着那关闭了的红铁门，还是漠然。但渐渐地觉到这种情形下眼泪的需要，于是眼泪来了，在寒风中大声抽噎着，哭给自己看。”

这就是张爱玲，尽管这时候的她，也不过十一二岁，却早已懂得坚忍与淡漠。母爱的缺少，给她的性情无不带来影响与转变。她的作品总是会不经意地流露出一种冷漠，缺少温情和悲悯。那是因为她把柔情藏在心底深处，试图用无情来掩饰自己。以至于她一生都对外界采取逃避、退缩的态度，其根源是，她怕受伤。

张爱玲知道，自己从来都是一片孤独的云，飘向何方，全凭自己选择把握。母亲走了，姑姑的家里还留有母亲的气息。纤灵的七巧板桌子，轻柔的颜色，还有许多她不明白的可爱的人来来去去。她认为，她所知道最好的一切，无论是物质还是精神的，都留在这里。她与姑姑深厚的情感也是从这里开始，并且深刻地维系了一生。在某种程度上，张爱玲在姑姑身上找到了那份遗失的母爱。所以，她珍惜。

而父亲张廷重这边的一切，是她所看不起的。她在《私语》里写道：“鸦片，教我弟弟做《汉高祖论》的老先生，章回小说，懒洋洋灰扑扑地活下去。像拜火教的波斯人，我把世界强行分作两半，光明与黑暗，善与恶，神与魔。属于我父亲这一边的必定是不好的……”可见张爱玲的心里抵触这种迷乱、锈迹斑斑的生活。但是她内心有时却喜欢这样的感觉，喜欢鸦片的云雾，喜欢雾一样的阳光，还有屋里乱摊着的小报。她知道父亲是寂寞的，只有寂寞的时候他才会生出柔情。

尽管这样，亦不能改变什么，爱的还是爱的，恨的还是恨的。她小小的心里，开始有了许多海阔天空的计划，她渴望中学毕业后到英国去读大学。她要比林语堂还出风头，要穿最别致的衣服，要周游世界。在上海自己有房子，过一种干脆利落的生活。是的，干脆利落，这就是张爱玲的个性，她讨厌那种没完没了的纠缠。她宁可亲自割断所有的牵挂，纵是血肉模糊，亦在所不惜。

可世事飘忽，人海浮沉，又岂是自己所能做主的。父亲要结婚了，当姑姑告诉张爱玲这则消息后，她哭了。以往她看过太多关于后母的小说，想不到竟然应到自己身上。而那时张爱玲心里只有一个迫切的感觉："无论如何不能让这件事发生。如果那女人就在眼前，伏在铁栏杆上，我必定把她从阳台上推下去，一了百了。"这不过是一个孩子任性的玩笑话，无论她是否能够接受，父亲再娶已成抹不去的事实。

这个家再度接受迁徙，这一次，搬去的竟是最初的那所老洋房，也就是张爱玲出生的地方。之前她没有任何记忆，当她有足够的思想，来重新审视这房子的时候，只觉得这座老宅承载了太多的历史印记，重叠了太多的家族故事，连空气都是模糊的。

她说，有太阳的地方使人瞌睡，阴暗的地方有古墓的清凉。在这里，她时常分辨不出，何时是清醒，何时是迷糊。但有一点很清楚，她不喜欢这个家，因为这个家再没有她值得喜欢的人了。

后母孙用蕃也抽鸦片，她和当时的才女陆小曼是至交，因为两人都有烟瘾，所以被称为一对“芙蓉仙子”。那时候，陆小曼和徐志摩就住在四明村，经常宴请孙用蕃，因此张爱玲也曾有幸出席，但在她后来的文章里从未提过陆小曼。或许她把对后母的厌恶，迁移到陆小曼的身上。在民国，陆小曼亦是一个如同罂粟的女子，一个不折不扣的妖精。不知道多少人饮下那杯风情又芬芳的毒药，为她穿肠而死，无怨无悔。

其实后母孙用蕃对张爱玲并不刻薄，更无狠毒之说。在她嫁到张府之前，她听说张爱玲个头身段与她差不多，就带了两箱自己的衣服送给爱玲穿，并且那些料子都是好的。但张爱玲却认为是施舍，是侮辱。她一直不肯宽恕，她曾在《对照记》里写过：“有一个时期在继母统治下生活着，拣她穿剩的衣服穿。永远不能忘记一件暗红的薄棉袍，碎牛肉的颜色，穿不完地穿着，都像浑身生了冻疮；冬天已经过去了，还留着冻疮的疤——是那样地憎恶与羞耻。”

语言何等犀利，竟是那样不依不饶。想来文坛上除了张爱玲，还没有几个人有这样的笔力，可以将一件旧衫描写得如此淋漓尽致。那是因为她太过骄傲，太过自尊。张爱玲后来用她的生花妙笔，多次批判过后母孙用蕃的形象。孙用蕃其实也出身于显赫的豪门之家，只因后来家道中落，而张廷重又继承着祖辈殷实的产业，故孙用蕃被人托媒嫁到了这里。

孙用蕃这一生除了与“阿芙蓉”做了知己，并没有犯下别的罪过。倘若不是家境影响，没有染上烟瘾，她也不用嫁给张廷重做继室，更无需做两个孩子的后母。但张爱玲对她的厌恶想来也是理所当然。这世上应该没有几个孩子可以宽容到，真心去喜欢一个后母。她不喜欢回家，是因为她不愿意看到父亲和后母躺在榻上，云里雾里吃着鸦片的堕落模样。在张爱玲眼里，孙用蕃太过轻贱，太不自爱，只顾沉沦贪欢，哪管日月如飞。

最让张爱玲觉得悲哀的是，父亲和后母每日过着放纵奢靡的生活，却舍不得拿钱出来给她缴钢琴学费。张爱玲记得，每次向父亲要学费，遇到的总是拖延：“我立在烟铺跟前，许久，许久，得不到回答。”这对于一个有着极重自尊的女孩来说，无疑是一种不可原谅的伤害。世上再无寻找珍贵事物的地方，她所能做的，是让自己更加干净，更加洒脱。

时光如绣，岁月结茧。记忆里所认为应当的美好，与现实总是南辕北辙。尽管这样，这流云般的日子还是要固执地过下去，哪怕行至山穷水尽处，亦会有一个转弯的路口，让你走出来。只是那一剪挂在窗前的明月，醒时我知，醉后谁解?

青青校园

【张爱玲语录】我不忍看了你的快乐，更形成我的凄清！别了！人生聚散，本是常事，无论怎样，我们总有藏着泪珠撒手的一日！

沉默的时光，在你倚着窗牖听雨，坐在楼阁看云的时候，飘然远去。人在世间行走，必须戴着不同面具。不是因为虚伪，而是很多时候需要遵循自然，顺应环境。如果你不能改变生活，就必然要为生活改变。

很小的时候，张爱玲就已经明白这个道理。父亲再娶，让她厌倦回到那个阴暗模糊的家。看着弟弟受到虐待，却又无处可逃，她感到伤悲。面对继母对她冷嘲热讽，她束手无策，只觉得羞辱万分。她曾对着镜子看着自己哭泣的脸，咬牙发誓："有一天我要报仇。"

尽管后来张爱玲说过，中学时代是不愉快的。她觉得内心压抑，面对无奈的人事，她总是沉默相待。只要离开家里鸦片的云雾，来到姑姑家或者在学校，日子也算是清简如水，明净似画。

张爱玲的中学时代并非都是愁云惨雾。她也曾有过许多小女生单纯的快乐，有过和春天携手的烂漫时光。的确，她的性格内向，审美天赋又比同龄人要好，并且她一贯不注重生活中的琐事。但是她亦经常和表姐妹们一起去逛街、看电影，带着弟弟一起去买零食。

当遇到陌生人的时候，她多半是沉默的。只有和表姐妹们以及要好的同学在一起，她才表现得十分开朗。尤其谈论起她所喜欢的小说、电影和戏剧的时候，她更是神采飞扬，滔滔不绝。那时候，你全然会忘记，她是一个性情淡漠，内心有暗伤的女孩。

所以每个人都有多重性格，会在不同的环境下，表现不同的自我。或开朗，或冷漠；或单纯，或世故。人也许在面对自己心灵的时候，才会摘下行走于世俗的面具，看到最真的自我。因为就算和自己执手相依的人在一起，也难免会有疏离和寥落。

张爱玲在中学时期开始迷上了写作，并且开始趁人不备的时候，独自伏案耕耘。因为太爱看书，所以读中学的时候，她就已经近视，配了一副眼镜。她个子高，又清瘦，简单的衣着，遮不住她文雅的书卷味。也许她不够美丽，但是她从来都给人不平凡、不普通的感觉。有人说，像她这样的才女，只要有缘与她擦肩，必然会为她回眸。

十二岁的张爱玲，在圣玛利亚女校校刊《凤藻》上，刊发了她的第一篇小说《不幸的她》。虽然只有简短的一千四百多字，情节也比较稚嫩，但是对于一个年仅十二岁的少女来说，无疑是一种惊艳；对她的写作生涯来说，也是一次美丽且不凡的开端。《不幸的她》描写了一个纯洁美好的女性被毁灭的悲剧历程，面对命运，女主人只能逃离，在漂泊中度过自己的余生。

“我不忍看了你的快乐，更形成我的凄清！别了！人生聚散，本是常事，无论怎样，我们总有藏着泪珠撒手的一日！”多么无奈又清醒的文字，我们总有藏着泪珠撒手的一日。那时候的张爱玲，早已习惯了人生的离合聚散，并且面对离别，她学会人前淡漠，转身落泪。她知道，万水千山的人生旅程，多半只能是一个人独行。

第二年，张爱玲又在圣玛利亚女校校刊《凤藻》上，刊载了第一篇散文《迟暮》。这篇散文，更是写出了她这个年龄不合时宜的想法。在那色彩缤纷、目不暇接的春天里，她感叹人生韶华稍纵即逝，竟不如朝生暮死的蝴蝶那般令人可羡。在她这样的花样年华，看到的该是青山碧水的葱郁风景。可她却怀着百转千回的心事，感叹人生烟云，美人迟暮。或许这就是张爱玲的超脱之处，让我们看到一个女孩，守在花样的黄昏，看流水光阴，缓缓远去，远去。

张爱玲恋上了在学校的时光，她天资聪慧，各科成绩都是甲或A。最为主要的是，在学校她可以自由地写作。听到老师的赞扬，看到同学欣赏的目光，她的心底生出几许人之常情的安慰和骄傲。那种对文字深刻的热爱之情，在许多个月明星疏的夜晚，更加地蠢蠢欲动。

张爱玲喜欢上国文（语文）课，恰好学校来了一位有才华、有见地的汪老师，对国文甚为重视。汪老师最初注意到张爱玲是因为她的一篇自命题作文《看云》。行文潇洒，词藻华丽。之后汪老师对张爱玲就开始不由自主地关注起来。那时候的张爱玲因为个子高，坐在最后一排最末一个座位上，她总是面无表情，穿着随意。她不美丽，却又以一种别样气质让人频频回首。

张爱玲喜好文字，才情出众，除了给学校的刊物投稿之外，其余任何的诗会、歌团，她都不参加。这位特别的女生给老师和同学的印象是，骄傲又淡薄。她不肯流俗，所以人流中，总是难以捕捉到她的身影。可是张爱玲这个名字，又仿佛无处不在。

之后，张爱玲在学校的《国兴》刊物上，刊载小说《牛》、《霸王别姬》及《读书报告叁则》、《若馨评》，《凤藻》刊载《论卡通画之前途》。其中《霸王别姬》深得广大师生的关注和喜爱。汪老师对此文更是赞赏："与郭沫若的《楚霸王之死》（注：应为《楚霸王自杀》）相比较，简直可以说一声有过之而无不及，这样努力为之，将来的前途是不可估量的！"

这篇小说里的虞姬，不是在项羽失败之时，因为穷途末路被迫而死她死于鼎盛之后，通往衰落的那个过程。这个叫虞姬的女子，提前预知了结局，趁一切还未到来之前，决绝地了断自己。她的最后一句话是："我比较喜欢那样的收梢。"这一年的张爱玲，十七岁。一个十七岁的花季少女，竟将人生看得这样透彻。

于圣玛利亚女校的这几年，张爱玲实际最为钟情的是研究《红楼梦》。她甚至用课余的时间，写过一部章回小说《摩登红楼梦》，分上、下两册。那时候的她，已经知道将古典人物现代化，写得别致新颖，又狠狠地将世态批判一通。她父亲读后，亦是赞赏不已。张爱玲每隔三五年，都要重读一遍《红楼梦》，她曾慨叹："每次的印象各各不同。现在再看只看见人与人之间感应的烦恼。个人的欣赏能力有限，而《红楼梦》永远是'要一奉十'的。"

这个漫长又短暂的中学时代，在企盼又不经意的时候走至尾声。仿佛还有一场善感的梦，留在某个春天的晨晓，不曾醒转。还有一个温润少年，在校园外的路灯下，不曾牵手，便已错过。曾经想要省略而过的青春时光，就如璀璨烟花那样，灰飞烟灭，了无痕迹。

对于张爱玲来说，这段中学时光应该深刻难忘。多年以后，她还会想起校园里的梅林，想起那些纵横交错的小路，还有古老的钟楼。想起她在这座校园里，写下的那些清新又稚嫩的文字。是校园，让她忘记了家庭里许多的不快。也是校园，成就了她一生引以为傲的文字梦想。

临别之前，张爱玲在学校的校刊上，给毕业的女同学手绘了卡通画。每个人被她赋予了不同的角色，看上去生动传神、趣味盎然。她把自己画成手捧水晶球的占卜师，只是不知道，她能占卜谁的命运。

多少年过去了，我们还能看到当年圣玛利亚女校学生的一张老照片。短发女生，浅色旗袍，那么纯净，那么圣洁。尽管照片是黑白的，并且有些模糊不清。但那条年少的河流，已然清可见底。过往的记忆，在水底沉静、安然。看着看着，让人有落泪的冲动。那是因为我们都曾美丽过，只是不再年轻。

别了，朝露纯净的校园。别了，青春作伴的时光。要相信，在岁月的岸口，会有一艘渡河的船，载着我们去另一个未知的远方。掩上过往的重门，在流光依依的巷陌，仿佛总是有声音在问：是否有那么一种青春，叫重来。

劫后重生

【张爱玲语录】凡是牵涉到快乐的授受上，就犯不着斤斤计较了。较量些什么呢？——长的是磨难，短的是人生。

时光苍绿，那是因为我们都在老去。如今再看披着锦衣华服的上海滩，高贵而妖娆，绝世独立。这座城，在三十年代，也曾经历了乱世的战火硝烟，掀起过无数江湖风浪。只是沧海桑田，所有的一切都被锁在那座叫过往的城里，早已寂静安然。

那场民国的风，吹拂至上海滩的每个角落。而那个年代的人，总是在慌乱中寻找人生的归宿。后来在张爱玲的文章里，总能看到乱世这个词。回首她一生所处的环境，所经历的故事，确实意乱纷纭。或许是我目光浅薄，总觉得世事风云浩荡，就算在太平盛世，也终究逃不过血泪交织的人生。

张爱玲的母亲黄逸梵在乱世中回国了，这个几度留洋的新时代女性早已习惯动荡，无惧风霜。母亲的回国，张爱玲看似漫不经心，实则内心涌动着无尽的欢喜。因为这时候的张爱玲已经是个亭亭玉立的花季少女，母亲身上散发出的那种浪漫迷人的欧美气息，让她倾倒陶醉。母亲讲述国外的潋滟风景、传奇故事，无不令她神往。那时候张爱玲厌烦了家里的气氛，不可抑止地想要出国。

母亲归来，张爱玲就更加不愿回父亲的家，常常在母亲那儿待到日落黄昏，新月初起，才依依不舍归去。次数久了，父亲很不高兴，觉得这些年养活、教育的女儿，心却在那一边。尤其当张爱玲提出出国留学的要求时，张廷重更是大发脾气，觉得她受到母亲的挑拨。后母趁机大骂起来："你母亲离了婚还要干涉你们家的事。既然放不下这里，为什么不回来？可惜迟了一步，回来只好做姨太太！"

如此羞辱，令张爱玲对后母的恨意有增无减。张廷重始终是个守旧之人，黄逸梵和张茂渊的留洋让他深刻体会到，一个女子只要踏上新时代的旅途，就再也找不到东方女性传统典雅之美了。更为重要的是，家里两个人抽鸦片已是一笔巨大的开销，他连张爱玲学钢琴的钱都舍不得出，又如何情愿拿出这笔钱供她留学？

淞沪战争在人们的意料中发生了，整个上海滩陷入混乱的硝烟战火之中。有人背井离乡纷纷逃窜，有人坐以待毙及时享乐。夜间听着炮火声，无法安眠。张爱玲跟父亲提出去姑姑家住几日，张廷重明知她去姑姑家也就是去母亲家，心中虽有不快，但也不好回绝，就答应了。

回到母亲的家，如倦鸟还巢，尽管外面乱世纷繁，但她的心却干净似琉璃，不受干扰。奈何流光催人，转眼就这样过了两个星期。当她极不情愿回到父亲的家，已见后母阴沉着脸坐在客厅，对她发问："怎么你走了也不在我跟前说一声？"张爱玲无奈，只淡淡回道："我跟父亲说过了。" 后母恼道："噢，对父亲说了！你眼睛里哪还有我呢！"

话一出口，就刷地打了张爱玲一记巴掌。张爱玲万分屈辱，本能想要还手，被府里的老妈子拉住。此时后母煞有介事地往楼上奔去，大喊："她打我！她打我！"紧接着，张爱玲的父亲不问青红皂白，对着她就是一阵拳打脚踢。

"在这一刹那间，一切都变得非常明晰，下着百叶窗的暗沉沉的餐室，饭已经摆上桌子，没有金鱼的金鱼缸，白瓷缸上细细描出橙红的鱼藻。我父亲趿着拖鞋，啪达啪达冲下楼来，揪住我，拳足交加，吼道：'你还打人！你打人我就打你！今天非打死你不可！'我觉得我的头偏到这一边，又偏到那一边，无数次，耳朵也震聋了。我坐在地上，躺在地下了，他还揪住我的头发一阵踢。终于被人拉开……”

这是张爱玲在《私语》中，对那段情景的描写。她之所以会如此不惜笔墨，是因为这是她生平最大的一次羞辱。父亲的拳脚相对，彻底粉碎了她对这个家最后的一点儿不舍。那一丝原本就薄弱的亲情，在此刻荡然无存。此后，张爱玲将自己内心的感情藏得更深，她不敢轻易去爱。因为她知道，这个迷惘的世界需要冷漠与之对抗，甚至连恨，都需要勇敢，需要力气。

在镜中，看着自己累累伤痕，张爱玲欲哭无泪。次日，姑姑闻讯来说情。后母一见她便冷笑：“是来捉鸦片的么？”不等姑姑开口，父亲便从烟铺上跳起来，拿着烟杆对着自己的妹妹劈头打去，把她也打伤了，进了医院。张茂渊想要去报巡捕房，又觉得此事为家丑，实在丢不起那个脸，方才作罢。

那时候，张廷重就像一只受伤被激怒的野兽，失去了理性。他把这么多年的抑郁，这么多年的沉沦，以及所有的怅惘，都发泄到张爱玲的身上。也许等到时过境迁，他才会幡然醒悟，后悔莫及。而张爱玲多年以后，再来看待这件事，会觉得父亲其实是那么可怜又可悲。一个朝代的更替，让多少人的心灵也随之换去，让他们看不懂陌生的自己。

父亲扬言说要用枪打死她。张爱玲被监禁在空房里。这座她出生于此的房舍，这座承载了百年风霜的老宅，如今竟变得那样生疏，那样的不近人情。幽蓝的月光洒在楼板上，隐藏着静静的杀机。张爱玲知道父亲不可能弄死她，但她担忧，就这样被关上几年，出来的时候，她就不再是她了。倚着木栏杆，天空湛蓝，炮火依旧。她心里期待，有那么一个炸弹可以落在家中，纵是同他们死在一起也愿意。

窗外的白玉兰，开着大朵大朵的白花。张爱玲说，像污秽的白手帕，又像废纸，抛在那里，被遗忘。她从来没见过这样妖冶丧气的花。可见一个人的心境是何等重要，此时良辰美景，对于张爱玲来说也形同虚设。

张爱玲病了，这一病就是半年。朦胧地躺在床上，看着秋冬淡青的天，忘记了朝代，忘记了年月。她觉得自己已经老去许多年，就要这样朦胧地死去。但她从来没有停止过逃跑的念头，尽管她早已被囚禁得如同行尸走肉。

一个隆冬的夜晚，张爱玲终于等来了机会。在佣人何干的帮助下，她巧妙地趁两个巡警换班的时间，就那样无声无息地溜了出去。当真是立在人行道上了，街上寂寂的冷，路灯下只看见一片寒灰。“多么可亲的世界呵！我在街沿急急走着，每一脚踏在地上都是一个响亮的吻。而且我在距家不远的地方和一个黄包车夫讲起价钱来了——我真高兴我还没忘了怎样还价……”此时的张爱玲就是一只受伤的囚鸟，只要给一双羽翼，就不会忘记该怎样去飞翔。

近半年的囚禁时光，让张爱玲受尽熬煎。这也让她感悟到，在这苍茫的人间剧场，原来独活也不是那么可怕。她薄脆的心开始更加坚定，更加从容。她相信，纵然心上飞雪，只要推开窗，桃花又会红，杨柳还是那么绿。

张爱玲这一次离开，意味着彻底与那座老宅诀别，和父亲那个家进行了了断。后母将她的东西送的送，丢的丢，只当她死了。张爱玲并不为此而悲伤，他们的淡漠无情对她来说，是一种灵魂的解脱。这世上，爱才是债，恨不是。

张爱玲一无所有地投奔，无疑给母亲增添了经济负担。那时候，姑姑因为炒股票出现了巨大的亏损。汽车卖了，司机和佣人也都辞退。当年两位留洋归来的单身美女，香车宝马出入，人前人后伺候的风光就这样一去不返，恍如隔世。

张爱玲在《童言无忌》里有写过这样的话：“问母亲要钱，起初是亲切有味的事，因为我一直是用一种罗曼蒂克的爱，来爱着我母亲的……可是后来，在她的窘境中三天两天伸手问她拿钱，为她的脾气磨难着，为自己的忘恩负义磨难着，那些琐屑的难堪，一点点地毁了我的爱。”

她迷惘了，甚至怀疑自己是否值得母亲如此为她付出。这个自卑又自傲的女孩，常常觉得自己背离光阴，行走在不属于她的红尘陌上。可是谁的人生不是如此，你期待日子就这样安静过去下，却总会被突如其来的意外惊扰。

所幸，失散的人，有一天会在林下重逢。错过的事，终会以另外的方式补偿。世事洪荒，沧溟万里，走过去了，便山青水静，云淡风轻。

港岛岁月

【张爱玲语录】香港的陷落成全了她。但是在这不可理喻的世界里，谁知道什么是因，什么是果？谁知道呢，也许就因为要成全她，一个大城市倾覆了。

有一座城，叫香港。又或者说，这不单纯是一座城，也是一座港岛。曾几何时，这座城离我们很远，山长水远地隔了国度；又离我们很近，只是一朝一夕的距离。而我们都是这座城里游走的微尘，在摩肩擦踵的人流中来来去去，飘零就是最好的归宿。

张爱玲曾经也是这座城的过客，留在这里的时光，说长不长，说短不短，三年而已。从父亲家里逃生出来的张爱玲，在母亲这边每日认真补习，预备考伦敦大学。天资聪慧的张爱玲不负所望，考进了伦敦大学。眼看着多年以来的留学梦就要如愿以偿，可好事多磨，那场战争激烈得不肯消停，令张爱玲无法前往英国，只好改去香港。

一九三九年，十九岁的张爱玲来到香港，她要到香港大学专攻文学。这个瘦高的女孩，穿着一袭素布旗袍，拎着母亲出洋时的旧皮箱，就这样只身南下。也许在她的心里会对这个陌生城市，感到一丝隐隐的不安。但她早就渴望一个人独行，只要离开上海，她就可以过干净利落的生活，可以为自己的人生重新做主。

船靠近香港码头时，张爱玲就领略到这座城那份独有的明媚色彩。后来她把初到香港的印象，写在《倾城之恋》里。“望过去最触目的便是码头上围列着的巨型广告牌，红的，橘红的，粉红的，倒映在绿油油的海水里，一条条，一抹抹刺激性的犯冲的色素，窜上落下，在水底下厮杀得异常热闹。”

尽管看惯了海市蜃楼的她，早已对繁华风景不屑一顾，但张爱玲固执地相信，每座城都会有它不可言说的美妙和故事。她知道这座城能留住她的，也只是刹那韶光。纵算她从来都相信，自己是一个绝尘女子，但她期待的，也只是简约生活。

张爱玲背井离乡求学，担忧她的人就是母亲和姑姑了。她们安排了一个叫李开第的人在码头等候。李开第是姑姑张茂渊的初恋情人，二人曾在英国的轮船上邂逅，一见钟情。但他们并没有结成连理，李开第后来另有所爱，有了家室。而张茂渊独守空闺五十年，或许命定情缘，他们在黄昏之龄再度重逢，喜结并蒂，携手共度夕阳。

香港大学，坐落于半山腰的一座法国修道院内。山路两旁盛开着如火如荼的野花，火红的颜色像被点燃一般。后来这里所遇见的许多景致，都成了张爱玲小说里的背景。如果说张爱玲在中学时代，如她所说是灰色。那么在大学时期，应该增添了许多意想不到的色彩。

港大的学生多来自东南亚，是华侨富商的女子。就算是本地的学生，也是家境十分优越。这些阔小姐，挥金如土，社交活动多如午夜繁星。她们英文都非常好，而中文不过是识字水平。张爱玲因为靠母亲养活，与她们的贵气相比，就显得很清贫。

《小团圆》里写过，“在这橡胶大王子女进的学校里，只有她没有自来水笔（只能用蘸水笔），总是一瓶墨水带来带去，非常触目”。为了节约开支，张爱玲不敢参加任何社交活动。在香港求学三年，她连跳舞都没学会，因为她没有多余的钱来置办跳舞的裙子。

入校不久，张爱玲就遇到一件令她很尴尬的事。宿舍有个叫周妙儿的女生，父亲是巨富，花钱买下整座离岛，盖了富丽堂皇的别墅。她邀请全宿舍的同学去游玩一天，去那里要自租小轮船，来回每人需要摊派十几块船钱。张爱玲舍不得这份额外的支出，便向修女请求不去。修女追根问底，张爱玲无奈只好说出实情。

父母离异，她被迫出走。母亲为数不多的收入，供养她读大学已经很不易，所以她没有多余的钱去参加那些繁复的社交活动。说这些的时候，张爱玲自觉十分地羞窘。倘若不是迫不得已，她宁愿希望这种种遭遇，今生不再对任何人提起。偏生这修女做不了主，又将此事请示给修道院长，最后闹到众所周知的境地。

贫穷不是错，可贫穷却在无形之中成了一种耻辱。因为那些娇生惯养的女生，根本无法深刻体会生活的艰辛。她们认为，穷让人丢失颜面，甚至丧失尊严。所以无论如何，都要让自己在人前荣贵，方不负这锦绣华年。

只是一个人的贵贱，又岂是你能选择？张爱玲算是簪缨世族，豪门之后，可短短数十载，所有的荣华被一场风吹得荡然无存。人生从来就没有绝对的安稳，困境之中，唯有自救，方能解脱。

张爱玲救赎的方式，就是发奋苦读，洗去贫穷的羞辱。她努力学习英文，最后可以背下弥尔顿整本的《失乐园》。三年里，她给母亲和姑姑都是用英文写信。晚年在美国时，曾有教授说她英文写作比美国人多，并更有文采。

她的努力终究没有白费，每门功课都取得第一。第二年，她独自拿下了港大文科二年级的两个奖学金。有一位英国籍教授为此惊叹："教书十几年，从未有人考过这么高的分数！"因为她的出众，学费、膳宿费全免，据说毕业后还可以免费保送到牛津大学去深造。

渐渐地，同学们忘记了她的贫穷，取而代之的是欣赏和赞叹。但这里终究不是圣玛利亚女校，那些年少的心灵单纯而洁净。这些华侨子女带着与生俱来的优越感，恣意放任自己的人生，如同那些一路燃烧的野火花。她们无法真正走进这个半是古典、半是时尚的女子，更无法读懂她文字背后那份高贵的骄傲与深刻的内蕴。

这些情窦初开的女生，似长在春天枝头的美丽蓓蕾，含苞待放。她们需要和赏花之人，一起相聚在这场青春的盛宴上。张爱玲在《小团圆》里有写过："夏夜，男生成群的上山散步，距她们宿舍不远处便打住了。互挽着手臂排成长排，在马路上来回走，合唱流行歌。有时候也叫她们宿舍里女生的名字，叫一声，一阵杂乱的笑声"。

尽管，色彩斑斓的港大生活给张爱玲也曾带来喜悦，可那来来往往的赏花之人，总是寻不到她想要的那一个。张爱玲晚年回忆道：“我是孤独惯了的，以前在大学里的时候，同学们常会说他们听不懂我在说些什么，但我也不在乎。”

不是她抗拒绽放，而是还遇不到一个她值得为之灿烂的人。她看似薄弱的身段，带着一种无言的坚韧。没有人，敢轻易敲叩她的心门。内心的梦想始终不能圆满，她只好在缺憾中简洁度日。整个校园，乃至整座城，都蔓延着那似火的繁花。而她的世界，梨花胜雪，洁如初生。

当别人都在尽情释放自己青春的时候，张爱玲也找到了适合自己的地方，就是图书馆。她将感情寄存在这里，忘记自己是多么孤独。图书馆里有着幽静的空气，泛着书卷的冷香，让她情不自禁地喜爱。书架上，摆放着那些大臣的奏章、象牙签、锦套子里装着的清代礼服的五色图版，给了她一种久违的熟悉。

置身图书馆，犹如坐落在历史的殿堂，可以往返于各个朝代，收获许多莫名的惊喜。悠长的岁月，在这里缓慢地流淌，真实又虚幻。偶尔抬眉看着窗外，雾雨和青山，她的心，是那么安静，静到连尘埃都不忍下落。

原来，一个人只要内心沉静，无论你处身于怎样的繁华闹市，亦可以清明简然。没有一段人生，不是风雨相携，也许做不到敬畏，却要尊重。但我们还是要走下去，按照俗世的规律，走下去，不偏不倚，不惊不扰。我相信，香港这座城，带给张爱玲的，绝对不只是这么多。

天才梦想

【张爱玲语录】在没有人与人交接的场合，我充满了生命的欢悦。可是我一天不能克服这种咬啮性的小烦恼，生命是一袭华美的袍，爬满了蚤子。

每个人的一生，都会邂逅几段或深或浅的缘分。只是时光长短，萍聚云散，由不得你我做主。穿行在摩肩擦踵的人流中，缘分会指引你，找到那个与你心意相通的人。或许这世间没有谁，能够陪你真正走到终点，但我们依然要感恩那些深刻的相逢。

生命是一场漫长不可预知的远行，晓风冷月，杨柳落英，都只是刹那风景。那些结伴同行的，不只是爱情，还有不可缺少的亲情和友情。不管有一天会不会成为漠然转身的路人，但任何一桩缘分，我们都要珍爱。

原以为张爱玲这般孤傲的女子，应该只和文字做了知己，和寂寞有了偎依。其实我们都明白，一个爱上文字的女子，情感应该比寻常人深邃。张爱玲是那种会将万千柔情隐藏的女子，可以让她为之心动的人，确实不多。她时而冷若寒梅，时而媚似海棠；时而深似烟霞，时而淡如清风。读过她文字的人都该知道，她这一生邂逅的不仅是两个刻骨相恋的男子，还有风雨相携的朋友。

在港大，这座花团锦簇的校园，张爱玲时常被莫名的孤独砸伤。除了刻苦学习，去图书馆阅读文学书，她的日子甚为简洁。然而有这么一个女孩，在不经意间走进她的生活，让紧紧相随的孤独，渐行渐远。

她叫炎樱，是个混血儿。父亲是阿拉伯裔锡兰人，在上海开摩希甸珠宝店。母亲是天津人，为了那段跨国婚姻，和家里决裂，断绝来往。炎樱皮肤黑，身材娇小丰满，五官轮廓分明。她为人爽朗，说话语速快，又十分野蛮有趣。正是这个热情如火的女同学，改变了张爱玲的冷淡和忧郁，让她在港大的生活多了欢笑与趣味。

如今还可以看到一张炎樱和张爱玲，在炎樱家屋顶阳台上的合影。因为时光久远，原本黑白的照片更加模糊不清。岁月尽管在照片上留下了斑驳的印记，我们依然可以清晰地看到两个穿着裙裾的年轻女孩脸上灿烂的笑容。看过张爱玲的诸多相片，能够如此会心微笑的又有几张?

后来，炎樱的名字多次出现在张爱玲的笔下，她成了张爱玲一生最重要的知己。也许炎樱不是张爱玲生命中不可或缺的一笔，但她的存在却有如雾霭迷蒙的晨晓，添了一缕绚丽的云霞。张爱玲本是冷情女子，对于炎樱，她却无法做到淡漠。

张爱玲写过一篇《炎樱语录》，讲述了这个乐观女孩的一些生活逸事，让我们可以更加清晰地读懂这个平凡女孩的人格魅力。炎樱在报摊上翻阅画报，统统翻遍之后，却一本也不买。报贩讽刺地说："谢谢你！"炎樱答道："不要客气。"

炎樱买东西，付账的时候总要抹掉一些零头。即使在犹太人的商店里，她亦这样做。她把皮包的内容兜底掏出来，说："你看，没有了，真的，全在这儿了……"如此可爱有趣的女孩，让店老板都为她的孩子气所感动。

炎樱聪慧灵敏，亦颇有文学天赋。张爱玲说她也有过当作家的想法，还曾积极学习华文，甚至说过一句诗意且富有哲理的话。"每一个蝴蝶都是从前的一朵花的鬼魂，回来寻找它自己。" 读了这句话，似乎让我们明白了许多。张爱玲之所以喜欢和炎樱交往，不仅是可以感染她的快乐气息，很多时候，她亦可以看到张爱玲内心深处的柔软和孤独。

她们有着相同的宿命论，相信前世今生，相信因缘际遇，不是巧合，是注定。或许很多人不知道，张爱玲初次来到香港，与她同船共渡的人，其中有一个就是炎樱。只是那时候她们还未曾结缘，但真正有缘的人，哪怕转过水复山重，也会相遇。

炎樱有幸，做了张爱玲亲密朋友中的一个。又或许说张爱玲有幸，在她寂寥孤僻时，得遇这样一位热情开朗的女孩。在香港求学期间，和张爱玲一起看电影、逛街、买零食的人，是炎樱。和张爱玲漫步校园，说心事的人，也是炎樱。炎樱知道，沉默孤傲的张爱玲，其实内心精致含蓄。所以，她对张爱玲不仅是珍惜，还有许多的怜惜。

而张爱玲对炎樱的友情，亦是非同寻常。都说多情女子爱流泪，但张爱玲却很少哭。她后来说过，平生就大哭过两回，其中有一次为的是炎樱。据说有一次放暑假，炎樱原本答应留下来在香港陪张爱玲，但不知为何，不辞而别提前走了。张爱玲为此悲伤不已，大声哭泣，想来是因为她太孤独了。

她们之间还有一个共同爱好，那就是绘画。张爱玲自小喜好绘画，而炎樱也恰好有这方面的天赋。在后来香港沦陷时，为了消磨光阴，她们经常在一起作画。一个勾图，另一个上色，可谓珠联璧合。张爱玲小说集《传奇》的封面，两次都是炎樱所设计，她新巧又灵动的构思，深得张爱玲喜欢。

所谓君子之交淡如水，张爱玲和炎樱的友情虽然深厚，却也一直保持着距离。香港分别后，她们在圣约翰校园有缘再聚。而后，天涯离散，几经浮沉，亦有过重逢。在一起时，她们惺惺相惜。不在一起时，她们淡淡怀念。

在港大，除了和炎樱的这段友谊，还有一件难忘的事，在张爱玲写作史上至关重要。在港大，她唯一一次用中文写了一篇文章。这就是她早期作品里最著名、最出色的一篇——《我的天才梦》。相信只要提起张爱玲，都忘不了她的名句。“我是一个古怪的女孩，从小被目为天才，除了发展我的天才外别无生存的目标……”

这篇《我的天才梦》，是为了参加《西风》杂志创刊三周年的征文比赛而作。写这篇文章的时候，张爱玲只有十九岁。然而她斐然的才情令人惊叹，独特别致的文采以及惊世骇俗的结句“生命是一袭华美的袍，爬满了蚤子”更让人回味无穷。最后征文结集出版，她的题目《天才梦》被录用。

但张爱玲对《西风》评奖的结果极为不满，并在有生之年多次提及此事。七十年代她编《张看》时，在《天才梦》的末尾加了一段附记：“《我的天才梦》获《西风》杂志征文第十三名名誉奖。征文限定字数，所以这篇文字极力压缩，刚在这数目内，但是第一名长好几倍。并不是我几十年后还在斤斤较量，不过因为影响这篇东西的内容与可信性，不得不提一声。”

据张爱玲回忆，征文寄出后不久，《西风》杂志社通知她“得了首奖，就像买彩票中了头奖一样”。谁知等到收到正式公布的“全部得奖名单，首奖题作《我的妻》，作者姓名我不记得了。我排在末尾，仿佛名义是‘特别奖’，也就等于西风所谓‘有荣誉地提及’”。张爱玲还说：“《西风》从来没有片纸只字向我解释。我不过是个大学生。”

时过境迁，关于那次征文评奖活动，究竟是怎样一回事，早已没有人再去翻寻。张爱玲之所以耿耿于怀，是因为她重视自己的文字。其实她并不是一个张扬的人，她的内心如莲静谧，如此计较，是为珍爱。但作为一个真正喜爱她文字的读者，不会在意她是否获过什么奖，而在意其书卷里散发出的无穷韵味。

张爱玲是一个天才，对于一个天才，世人会给予更多的仁慈与宽容。所以，她的乖僻，她的孤冷，以及她与这个世间的疏离，都值得原谅，值得尊重。倘若我们用寻常的眼目来看她，来要求她，那么张爱玲就不是粉黛春秋里的一个传奇了。

或许张爱玲从来就不是一个向往唯美的女子，在她很小的时候就明白，人生是用来宰割，用来修剪的。所以她从来都不惧怕破碎，春水东流，秋月残缺，多少温情故事会被榨干。岁月给得起旺盛的记忆，也同样可以掏空一切。

当我们披着华美的旗袍，在镜前打量柔美的身段，自以为风姿万种的时候，张爱玲却在远处，冷冷地看着。也许有过短暂的沉默，但那句她不忍心说的话，终究还是说了出来。说得那么响亮，那么清脆，那么彻底。

生命是一袭华美的袍，爬满了蚤子。

第三卷

Chapter · 03

尘埃里开出花朵

乱世风烟

【张爱玲语录】整个的世界像一个蛀空了的牙齿，麻木木的，倒也不觉得什么，只是风来的时候，隐隐的有一些酸痛。

乱世里的人，真的是身不由己。仿佛要把所有的硝烟过尽，才可以换来片刻安宁。其实，人类自身的摧残，远不及大自然的锐利。乱世中，洁净的雪地上，遍布鸿爪。而太平盛世，连黑夜都是神秘多情的。

一九四一年，太平洋战争爆发。次年，香港沦陷。战火中的城市，纷乱到连疼痛都忘记。多少人无檐遮身，生不得安宁，死不得安身。风霜过后，如雨打残荷般冷落，所有的华采都灭了。但时间会修复所有的伤痕，这座城，有一天会更加芳华绝代。

张爱玲似乎从来都知道，没有谁可以顺应自己预定的人生轨迹走下去。所以当命运的风雨再次来袭，她虽有抱怨之心，却也有种司空见惯的平静。在她港大生涯的第三个年头，一场战火，将她天才梦想的校园，以及通往牛津大学之路，全部粉碎。

其实，所谓的“港战”，也就短短的十八天。但是这十八天，却让张爱玲看到了乱世里波澜壮阔的荒凉。战争来临的时候，或许让人觉得是灾难。可走的时候，却觉得只是一场意外。对于这场突如其来的磨难，平凡的百姓并不能采取任何措施。尤其是港大的女生们，面临炮火的轰炸，似乎连恐慌都忘记了。

张爱玲在《烬余录》写道：“我们对于战争所抱的态度，可以打个譬喻，是像一个人坐在硬板凳上打瞌睡，虽然不舒服，而且没完没了地抱怨着，到底还是睡着了。”大家深居简出，把自己藏在认为安全的地方，不肯露面。轰炸期间，炎樱表现得很无所畏惧似的，她冒死进城看电影，独自回宿舍楼上洗澡。张爱玲说：“她的不在乎仿佛是对众人恐怖的一种讽嘲。”

因为战争，港大停止了办公，本地的学生归家，异乡的同学只好参加守城工作，方能解决吃住。张爱玲只好去报名，做了一名临时的防空团员。在炮火声中，张爱玲担心会死在那些陌生人之间。在战火硝烟下，只觉得生命真的好虚无，个人的生死荣辱，是那么微不足道。

十八天的围城历险，总算那样熬过去了，漫长得恍如一个世纪。张爱玲在《烬余录》里有这样的记载："围城的十八天里，谁都有那种清晨四点钟的难挨的感觉——寒噤的黎明，什么都是模糊，瑟缩，靠不住。回不了家，等回去了，也许家已经不存在了。房子可以毁掉，钱转眼可以成废纸，人可以死，自己更是朝不保夕。像唐诗上的'凄凄去亲爱，泛泛入烟雾'，可是那到底不像这里的无牵无挂的虚空与绝望。"

但真正过去了，又让人觉得很不习惯，仿佛一颗悬着的心始终找不到踏实的落脚点。张爱玲也曾这么说："到底仗打完了。乍一停，很有一点弄不惯，和平反而使人心乱，像喝醉酒似的。看见青天上的飞机，知道我们尽管仰着脸欣赏它而不至于有炸弹落在头上，单为这一点便觉得它很可爱……"

灾难一结束，大家霎时解脱，便有了狂欢的场面。仿佛再不及时行乐，就没有机会了似的。张爱玲也参与了，但她心里清醒地明白，这是堕落。但是战乱之后，得以苟且，谁还顾得了那许多。张爱玲看着那些生生死死，心里生出抵触和冷漠。不是因为她自私，而是她知道，生死本寻常，没有谁可以逆转。坐在时代的车上，每个人都是孤独的。

一场战争，结束了许多人的生命，也让许多人如获初生。所谓“一将功成万骨枯”，哪一次收复河山不是踏着千万人的尸骨，从古至今，不曾改变。这一年，女作家萧红病死在香港医院，死时三十一岁，但人们从来都没有忘记过她。她临终时有遗言：“半生尽遭白眼冷遇……身先死，不甘，不甘。”无论你是名将，还是白骨，有一天，都会被历史的烟尘给淹没。

港大的岁月，就这样结束了，有些仓促，有些始料未及。三年光阴，如白驹过隙，而那个孤傲的少女，似乎被历史改变得更加冷漠。或许，改变的不只是她，还有那些同样被战火洗礼过的人们。无论是有名的，还是无名的，是崇高的，还是卑贱的，都成了过往。

匆匆，诀别。没有圣玛利亚女校毕业时那般浪漫，那般清纯。这年夏天，张爱玲和炎樱一起离开香港，来到上海，算是风雨归来。上海，一如既往，岁月没有让这座城老去一点点沧桑。三年，亦不会将一个女孩的容颜更改。但是在姑姑张茂渊还有弟弟张子静眼里，张爱玲确实改变了不少。她长发披肩，显得更加高挑清瘦，衣着时尚，文雅而飘逸。

但人事却在我们来不及思索，不曾参透的时候，悄悄转换，一切都似乎那么理所应当。张爱玲不知道，上海这座城，于她将意味着什么，等待她的又会是什么。母亲去了新加坡，张爱玲在上海的落脚处，便是姑姑租住的赫德路爱丁顿公寓。张爱玲其实喜欢公寓的生活，她说："公寓是最理想的逃世地方"。

这间屋子的装饰，是姑姑自己设计的。客厅的壁炉，还有落地灯，典雅的沙发，让人舒适得都要忘记年光。站在阳台上，可以鸟瞰全城。不远处，有百乐门舞厅，夜半时候，还能隐约听得到那些天涯歌女，不厌其烦地唱着《夜来香》。那怀旧风情的音乐，至今还令人沉沦。而那时候，它却是粉饰太平的靡靡之音。

张爱玲对这里的一切，似乎很满足。和姑姑在一起的日子，有种细水长流的安逸。张爱玲在《私语》里写道："现在我寄住在旧梦里，在旧梦里做着新的梦。阳台上看见毛毛的黄月亮。古代的夜里有更鼓，现在有卖馄饨的梆子，千年来无数人的梦的拍板：'托，托，托，托'——可爱又可哀的年月呵！"

那时候姑姑手头有些拮据，她们过得很清淡。因为港大没有毕业，张爱玲回到上海便想转到圣约翰大学，把学业读完，拿一纸文凭，也算是对这个漫长的学习生涯有了交代。弟弟张子静原本考上了复旦大学中文系，却因太平洋战争，复旦停课而作罢。听完张爱玲的想法，他也决定考圣约翰大学。

可读书的学费从何而来？弟弟回去找了父亲商议张爱玲学费之事，张廷重心里尽管无法忘记女儿的背叛，但他亦对自己当年的做法甚为后悔，再者张爱玲的才情也确实将他打动。总之，张廷重答应了，尽管那时候的他早已不再富裕。几年前，他就从那座宽敞的老宅搬了出去，换了一座小巧的洋房。

为了学费，张爱玲终究还是低了头，去了父亲那个陌生的家。后母知道她要来，有意避开。父女交谈不过几分钟，一切都是淡淡的，彼此神色冷漠，无有笑容。据后来弟弟张子静说："那是姊姊最后一次走进家门，也是最后一次离开。此后，她和父亲就再也没有见过面。"仿佛他们都问心无愧地，让这段亲情随缘灭去。如此决绝，不知道谁比谁更无情？

好在一切都会过去，一切都会成为烟云。时光依旧美丽，尽管我们早已忘记当年星空。日子是在跋山涉水中度过，但终有生生不息的风景，供你我赏阅。在圣约翰校园里，张爱玲又和好友炎樱相聚，她们一同考入了这所学校。那段珍贵的情谊，得以再续。

有些人，无需寻找，依旧在灯火阑珊处。有些人，想要留住，但轻舟已过万重山。张爱玲和炎樱的感情还是那么好，如港大时那般，一起携手看电影、逛街、买零食。有时相聚在姑姑家，几个女人，醉心于服装打扮。

张爱玲自中学以来，她的衣着就和别人不同。她是个随意创新的女孩，身上散发出与众不同的味道。从香港回来，张爱玲的风格更为独特。那时候的她，成了圣约翰校园里一道飘渺难捉的风景。也许那时候的她，还不够惊艳，不够灿烂，但足以让人心醉。

在这庸俗的世间，在这风云的上海滩，张爱玲的遇合不仅仅是这么几段。她真正的风华还不曾开始，只是有些承诺，还不能提前透支。那么就交付给时光吧，时光会告诉我们，关于她的许多，许多。

风华绝代

【张爱玲语录】出名要趁早呀，来得太晚的话，快乐也不那么痛快。个人即使等得及，时代是仓促的，已经在破坏中，还有更大的破坏要来。

褪去夜色的华装，清晨的上海滩，有种洗尽铅华的美丽。黄浦江的水，似乎淘尽了悲欢，此刻流淌得那般从容。那些在睡梦中刚刚醒来的人，依旧有些微醉。他们又将在新的一天里，继续那场漫长的旅程，朝着自己选定的方向走下去。哪怕穷尽一生，也要走到终点，那时候，天地明朗，水滴石穿。

后来才知道，张爱玲最终选定走文字这条路，不仅是因为她的天才梦，也是她在尘世赖以生存的方式。我们都是岁月大河里的一粒沙石，尽管渺小，但是一举一动、一颦一笑都会影响到整个世界。张爱玲知道出名要趁早，她不喜欢迟暮的感觉——那种萎谢到连信仰都忘记的年岁。所以，她从来不去质疑自己的梦。因为她明白，只要给梦一双翅膀，有一天终会扶摇万里。

在圣约翰大学读书，张爱玲经常囊中羞涩，她不想给姑姑带来负担，更不愿再向父亲乞讨。于是她萌生了卖文为生的念头，开始给英文《泰晤士报》写影评和剧评。张爱玲学生时代不仅爱读小说，亦爱看电影。上海的电影市场为东方之最。那些国外影片，国内大片，张爱玲是一部都不肯疏漏，那个时代的著名演员都跟她有过神交。

不仅如此。张爱玲受父亲影响，对传统戏剧亦有极大的兴致。京剧、越剧、评剧，无一不喜好。有了这些影片和戏剧的积累，张爱玲落笔从容自然。在很短的时间内，就发表了诸多剧评、影评，如《婆媳之间》、《鸦片战争》、《秋歌》、《乌云盖月》、《万紫千红》、《燕迎春》、《借银灯》等。

用英文写作，以影剧评论为开端，让张爱玲从此真正踏上文学之路。并且，她在起步之时，非常成功。那时候的文坛非常寂寞，上海沦陷好几年，像茅盾、巴金、老舍、张恨水那些有成就的大作家，在文化的长河里，渐渐地隐身匿迹。多年后，有个叫李碧华的女作家说过这么一句话："文坛寂寞得恐怖，只出一位这样的女子。"

柯灵先生后来说："我扳着指头算来算去，偌大的文坛，哪个阶段都安放不下一个张爱玲；上海沦陷，才给了她机会。日本侵略者和汪精卫政权把新文学传统一刀切断了，只要不反对他们，有点文学艺术粉饰太平，求之不得，给他们什么，当然是毫不计较的。天高皇帝远，这就给张爱玲提供了大显身手的舞台……"

无论是机遇还是巧合，总之张爱玲的文字确实被时代认可。这个文坛新手，似一朵奇葩，绽放在乱世的上海滩。接着，她为德国人办的英文杂志《二十世纪》写《中国的生活与服装（Chinese life and Fashions）》。主编梅涅特对她出手不凡的长文所震撼，惊为天人，声言"她有能力向外国人诠释中国人"，并夸张爱玲是"极有前途的青年天才"。

突如其来的巨大收获，是那样的始料未及，令她欣喜难言，尽管在这繁华背后，隐藏了太多不为人知的艰辛。后来张爱玲在《童言无忌》里说："苦虽苦一点，我喜欢我的职业。"写作是一种漫长的煎熬过程，唯有不断地经历春种秋耕，才能收获一场文字的盛宴。就像一场戏，许多人只看到锣鼓喧天的繁闹，不知道剧幕后面，那些伶人的倾心付出。

写作从此成了张爱玲的职业。这份职业伴随了一生；这份职业叫做寂寞，因为无需与人周旋；这份职业可以如她所愿，一个人在安静的灯影下，默默书写。张爱玲决意的事，不会改变。她辍学了，不想要那一纸单薄的文凭。事实上，以张爱玲超脱的悟性，她对这人世间的一切，早就有了深邃的解读。

张爱玲自称：“我生来就是写小说的人。”也许她来到人间的使命，就真的是为文字而活。这时候的张爱玲才二十出头。尽管也经历了浮沉，但她的人生还未真正开始。若说情感经验，沧桑阅历，她都还不够。但一个天才，似乎可以免去许多纷繁的过程，她有着比寻常人事半功倍的优势。

也许一个没有将百味尝尽、风霜看遍的人写出来的字，反而更加婉转低回。而一个将万水千山都过尽的人，只剩下散淡余年，茶冷言尽了。张爱玲是个极有灵性的女子，她能够巧妙地将生活琐事，转变为小说的素材。她那个曾经鼎盛而后败落的家族，以及在她生命里经过的人，都成了她写作中取之不尽的源泉。

一九四三年初，对于许多人来说，依旧春寒料峭。而张爱玲的世界，却是百花争妍。她是一个极其细腻的人，揣摩得出市井凡人的喜好。她知道，这些寄居在上海滩的人喜欢读什么样的文字；她知道，阳光底下并无新鲜事。但那些五味杂陈的旧事，遗落在历史的角落里，没有多少人愿意去发掘。而张爱玲是一个收集者，将这些故事编排好，摊在岁月的桌案上，供来往众生翻读。

她的小说《沉香屑》，在开篇写道：“请您寻出家传的霉绿斑斓的铜香炉，点上一炉沉香屑，听我说一支战前香港的故事。您这一炉沉香屑点完了，我的故事也该完了。”如此别具一格，故事还不曾开始，就耐人寻味。那缕沉香的袅袅烟雾，令许多读者魂牵梦萦。

之后，张爱玲的佳作似枝头繁花，纷纷洒洒。她刊载了小说有《倾城之恋》、《金锁记》、《琉璃瓦》、《封锁》、《红玫瑰与白玫瑰》等，散文有《散戏》、《更衣记》、《烬余录》、《炎樱语录》等。很难相信，张爱玲可以在这么短的时间内，创作出如此多的妙文。她的文字让那些沉沦在苦闷中的人，开始找到了寄托。正如柯灵所言：“张爱玲在写作上很快登上灿烂的高峰，同时转眼间红遍上海。”

这就是天才张爱玲。她的才思如碎裂的冰河，在某个刹那，倾泻而出，奔腾万里。佛说，普度众生。每个人度人的方式不同，被度的方式也不同。张爱玲用文字度人，同时也在度己。这是思想上的超度，亦是对许多寂寞灵魂的救赎。

张爱玲在文字中，时常发出直抵人心的喟叹。许多人以为她是个人情练达的老者，却不知道，她正值风华绝代之龄。她的小说《倾城之恋》，打动了万千读者。“他不过是一个自私的男子，她不过是一个自私的女人。在这兵荒马乱的时代，个人主义者是无处容身的，可是总有地方容得下一对平凡的夫妻。”

她的《红玫瑰与白玫瑰》，又道尽了多少人的衷肠。“娶了红玫瑰，久而久之，红的变了墙上的一抹蚊子血，白的还是‘床前明月光’；娶了白玫瑰，白的便是衣服上的一粒饭渣子，红的却是心口上一颗朱砂痣。”

此时的张爱玲早已脱离名门之后那道美丽的光环，她让自己做一个自食其力的小市民，煮字疗饥，享受自给自足的温暖和安逸。她让文字走入红尘深处，在生活中却始终和人保持距离。所以尽管张爱玲的文字让人品尝到烟火，但她给读者一种美人如花隔云端的神秘之感。没有谁可以真正窥视她的内心，你以为漫步在人流中，必定有一个人是她，却又那么遥不可及。

张爱玲就这样，以她绝世孤高的姿态，独立于上海滩的文坛巅峰。在寥廓的银河里，她是那枚月亮，在万星丛中骄傲又孤独地闪耀。在当时的文坛，还有几位女作家，亦是璀璨的星子。那就是苏青、潘柳黛和关露。她们被称为“文坛四大才女”，风靡上海滩。

而这几位才女中，张爱玲最喜欢的就是苏青。她曾经说过，古代女作家中最喜欢李清照，近代最喜欢苏青。因为她可以踏实地把握生活的情趣，她的特点是“伟大的单纯”，可以把最普通的话写成最动人的。而苏青也同样欣赏张爱玲，她说：“我读张爱玲的作品，觉得自有一种魅力，非急切地吞读下去不可。读下去像听凄幽的音乐，即使是片段也会感动起来……”

张爱玲还写过一篇《我看苏青》，让我们看到张爱玲心目中的苏青，真实生动。结局的那段文字，至今读来，依旧意味深长。“她走了之后，我一个人在黄昏的阳台上，骤然看到远处的一个高楼。边缘上附着一大块胭脂红，还当是玻璃窗上落日的反光，再一看，却是元宵的月亮，红红地升起来了。我想着：‘这是乱世’……我想到许多人的命运，连我在内的；有一种郁郁苍苍的身世之感……将来的平安，来到的时候已经不是我们的了，我们只能各人就近求得自己的平安。”

其实，她们都是人间的飘萍，纵算在年华初好时，有了暂时的栖身之处。但最后，终究抵不过命运的摆布，将来的一切，都未可知。

当繁华接踵而来的时候，张爱玲却时常在宁静的月光下，独自品尝寂寥的况味。也许我们都很想知道，这个写尽世间红绿男女的海上作家，究竟何时可以邂逅那段属于自己的爱情。这么多年，她的心门，又到底为谁虚掩着？

缘分路口

【张爱玲语录】我要你知道，在这个世界上总有一个人是等着你的，不管在什么时候，不管在什么地方，反正你知道，总有这么个人。

是的，我们都要知道，在这个世界上，总有一个人在等着你。这个人，也许在蒹葭苍苍的水岸，也许在江南悠长的雨巷，也许在匆匆筑梦的廊桥。无论多少年，都要相信，他会一直守候在缘分必经的路口，等着你。也许他不会为你而死，但他注定为你而生。请记得，你不来，他不走。

如果说爱情是一场劫，那么每个人都要历尽劫数，才能重生。张爱玲遭遇情劫的那一年，二十四岁。不算早，也不算迟。这个男人，让孤高的张爱玲宁愿卑微到尘埃里，也要为他开出花朵。这个男人，让张爱玲愿意在绝世而立的时候，华丽转身，暗自萎谢。这个男人，让张爱玲决绝地抛掷一切，放逐天涯，离群索居，孤独终老。

他叫胡兰成，民国乱世里，一个并不十分响亮，却又掷地有声的名字。一个让群芳争妒，春风失色的无情赏花之人。一粒来无影踪，去无归所的缥缈微尘。一个狂狷自负的文人，一个挟妓啸游的汉奸。仅此而已。

倘若不是民国乱世，胡兰成或许会换另一种活法。也许他会循规蹈矩地做一个平凡男子，死心塌地和一个良善妇人，过着岁月静好，现世安稳的日子。但他注定做不了这样一个男人，他注定要在乱世里恣意放情地活着。无论活出什么样子，是成是败，是王是寇，都要我行我素地活下去。哪怕身败名裂，纵是一无所有，亦无怨悔。

胡兰成，也算得上是个人物。这样的人物，在历史的长河里并不多见。他虽不正直，却也不懦弱；他虽不长情，却也不寡义。他虽不慈悲，却也不酷冷。只是这样一个人物，真的不够完美，不够光明，不够可爱。民国世界的男子多如星火，为什么偏偏这一颗，点亮了张爱玲。民国天空流云无数，为什么偏偏这一朵，邂逅了张爱玲。

该是多少年的修炼，多少次回眸，多少种缘分，才会有这样一段情。可胡兰成尽管惊喜这样的遇见，却并非真的为张爱玲而生。纵然他亦想和这位民国才女，一起看细水长流，可他就是做不到。所以，他只能辜负，误了春花，又负秋月。佛说，红颜白骨皆是虚妄，青青翠竹尽是法身，郁郁黄花无非般若。

胡兰成的身世与张爱玲相比，可谓天渊之别。他出生于浙江省嵊县下北乡胡村，小名蕊生。据说祖父胡载元曾是个茶栈老板，也算得上是当地大富，但父亲胡秀铭继承家业，无端败落，沦为普通农人。胡兰成自幼喜爱读书，却因家境贫寒，缺少许多机缘。

原本他可以安分守己在乡村教书，和他平凡的妻，过粗茶淡饭的生活。但身逢乱世，恃才傲物的他不甘屈居于乡野，于是踏上了他的人生求学之路。二十一岁的胡兰成，去了北平，因他书法颇有造诣，在燕京大学副校长室做抄写文书的工作。后回浙江，在几所专科学校任教，日子清贫，却也算安稳。

倘若不是发妻玉凤突然病逝，他因无钱安葬，四处借钱，受尽白眼和奚落，或许胡兰成不会改变。又或许，这只是一个借口。他本性就是如此，闯入纷纭的政治，落进滔滔情海，是他生命中的必然。

后来胡兰成说过那么一句冷漠的话：“我对于怎样天崩地裂的灾

难，与人世的割恩难爱，要我流一滴眼泪，总也不能了。我是幼年时的啼哭，都已还给了母亲，成年的号泣，都已还给了玉凤，此心已回到了如天地之不仁！”

如此决绝，似一把泛着凛凛寒光的利剑，无需拔出，便已伤及肺腑。不知道，张爱玲为何就爱了这样的一个男子。但他们相识之时，胡兰成分明是个多情的谦谦君子。谁又曾想到，于千万人之中遇见的这一个，会是那样薄情负心。不是张爱玲的错，只怪她流年不利，会与胡兰成狭路相逢，所有的情感被他洗劫一空，不留余地。

发妻死后，胡兰成被迫四处谋职，辗转多个城市，继续开始他的教书生涯。但此时的胡兰成早已心浮气躁，无法再忍受贫穷的生活。他不甘心只做一个教书匠，一无所获地度过余年。张爱玲曾经也说过这么一句话：“教书很难——又要做戏，又要做人。”胡兰成一直在等待机会，等待有一天可以凭借东风，青云直上。这期间，他娶妻全慧文。

风云乱世，果然给胡兰成带来了际遇。一九三六年，胡兰成应第七军军长廖磊之聘，兼办《柳州日报》，鼓吹对日抗战必须与民间起兵的气运相结合。五月，发生两广兵变，迅即失败，他被第四集团军总司令部监禁三十三天。

如此一来，反而给胡兰成带来了更大的机遇。一九三七年，他被《中华日报》聘为主笔，启程去了上海。次年年初，他又被调到香港《南华日报》任总主笔。这时候的胡兰成已经是汪精卫手下有力的文将了，那些惨淡的旧事，早已成了他不愿提起的过往。

汪精卫的妻子陈璧君抵达香港，觉得胡兰成是个人才，亲自将他的薪水增为三百六十元港币，另外还送了二千元机密费。这之后，胡兰成的地位节节升高。他离开香港回上海，任《中华日报》总主笔。之后几年，胡兰成的好运频频，就这样势不可挡。

宦海浮沉，福祸难料。时间久了，恃才傲物的胡兰成渐渐被汪精卫冷落。已经习惯了众星捧月的日子，胡兰成何曾受得了丝毫冷遇。他结识了日本使馆的官员池田笃纪，后被汪精卫下令逮捕，后得日本人干预，才被释放。

出狱后的胡兰成，算是和那段辉煌的政治生涯挥手道别了。回首前尘，种种功贵灿若烟花，尽管美丽，却消失得太快。如今醒转，如同做了一场南柯之梦，梦里香车宝马，梦外一无所有。所幸的是，时光还在，活着的人还可以重新开始。

被狠狠挫败的胡兰成，需要时间来疗伤，他去了南京的家里休养。

然而，就是这样一次休养，让胡兰成偶遇了张爱玲这个名字。之后，张爱玲就落入这个男人编织的情网里，捆缚了多年。其实，早在胡兰成入狱时，张爱玲曾陪同苏青去过一个叫周佛海的家里为之求情。那时的苏青，很是欣赏胡兰成。想来张爱玲对胡兰成亦有耳闻，并略知他的才名，否则清冷如她，不会陪苏青去做此等事的。

那是一个冬阳细细的午后，有柔风，但不冷。无所事事的胡兰成，漫不经心地翻阅一本由冯和仪寄来的《天地》月刊。先看刊发辞，原来冯和仪就是苏青，这女子文笔大方利落，他甚为欣赏。再翻下去，看到了《封锁》，作者为张爱玲。仅仅几个小章节，便让胡兰成觉得此文不同凡响。于是细致地读完整篇，令他拍案叫绝。接下来再读一遍，仍是意犹未尽。

自此，胡兰成便对这个叫张爱玲的人，再也放不下。一直以来，胡兰成一心只想着他的政治仕途，而不关注文坛逸事。所以他竟然对早已风靡上海滩的才女毫无所知，若不是这次偶然，或许他们就这样擦肩而过了。但亦有人说过，缘定三生的人，无论你如何躲避，兜兜转转到最后还是会在一起。

胡兰成开始收集杂志，留意与张爱玲有关的所有作品。只要是她的，便都是好的。他甚至难以相信，世间竟会有如此绝世女子，可以将文字写到如此美妙，如此让人难以自拔。他更加不知道，她的文字会让他全然忘记政治的失意，只想让自己在她的世界里沉下去。

是的，他要为这个叫张爱玲的女子下沉，哪怕沉一生一世也愿意。也许我们应当相信，这时候的胡兰成对张爱玲那份热切的渴望，是出于肺腑。他对她的迷恋，不是因为文字，而是隐藏在文字背后那份情怀。他明白，能写出这样文字的女子，必定有着一颗张扬又孤冷的灵魂。他懂她，所以他要去找她。

找到她，告诉她，他就是那个她等候多年，却迟迟不肯出现的人。他就是那个于千万人之中，她想要遇见的人。他就是那个愿意与她执手相待，静看星辰的人。

爱情毒酒

【张爱玲语录】精神恋爱的结果永远是结婚，而肉体之爱往往就像停顿在某一阶段，很少结婚的希望。精神恋爱只有一个毛病：在恋爱的过程中，女人往往听不懂男人的话。

都说，恋爱中的人会迷了心性，丢失自我。素日里所有的理智、把持，在爱情面前，都会生出叛逆之心。那些高傲的灵魂，一旦遭遇了爱情，也变得十分卑微。只要爱了，所有时光都是柔软的。那时候，忘记自己的名姓、年岁。只记得，爱的人在哪里，哪里就给得起现世安稳。

爱情是一杯毒酒，许多人，含着笑，义无反顾地饮下去。不是因为傻，而是身不由己。世界这么大，过客这么多，好不容易才遇见一个你，如何还能弃之于人海。那些勇敢追求的人，为何总是会怯懦失去？那些说好永不离分的人，最后都去了哪里？

爱的时候，顾不了那许多，不问将来，不问结局，只要当下。就那样莫名地生出许多情绪，莫名地想要对一个人信誓旦旦，又莫名地为了爱伤害自己。爱的时候，又何来有时间追问因果。如果对了，就当做是岁月的恩宠；如果错了，就当做是人生的戏谑。

胡兰成从来都不管那许多的，他所认定的人，纵是与他隔了万里关山，他也要誓死相追。哪怕只是露水姻缘，他都不容许自己错过。一九四四年，春寒料峭，胡兰成从南京回到上海，他去编辑部找苏青。没有丝毫躲闪，他直问那个叫张爱玲的女子。苏青道："张爱玲不见人的。"这句话，或许别人听了，顿觉相见无望。但胡兰成听了，却万分惊喜，因为他知道，这个女子果然与人别样。

静安寺路赫德路口一九二号公寓六楼六五室。这是胡兰成从苏青那里得来的地址，至于是否有缘，由他自己把握。胡兰成自是会去的，而且去得那么急。次日，他一袭青色长袍，斯文儒雅，叩响那扇紧闭的门。这一年胡兰成已是三十八岁，对于一个尝过世味的男人来说，该是最好的年光。然而，就是这样走过岁月的男子，让秋水心事的张爱玲与他离得很近。

开门的人是张爱玲的姑姑，她用以往一贯的姿态，拒绝所有来访张爱玲的读者，胡兰成也不能例外，因为此时的他，只是一个陌生的访客。不等胡兰成将话说完，开启片刻的门扉又再次要关闭。胡兰成忘记带名片，便急忙取出纸笔，写下自己的名字和电话号码。就这么从狭小的门缝里递了进去，转身离去的时候，胡兰成依旧安然。

当张爱玲看到那张字条，面对胡兰成三个字时，果真不是一般滋味。这个名字于她并不陌生，无论是从苏青的口中，还是上海滩的众多传闻，抑或是其他，张爱玲都是有印象的。姑姑毕竟是过来人，她亦闻知胡兰成这个人物，知道他的一些复杂背景，觉得张爱玲应该谨慎为之。

次日午后，张爱玲打了电话给胡兰成，告知她要去他家中回访。也许很多人都不明白，素日里孤僻的张爱玲，对待来访的客人，乃至自己的亲人，都是冷漠相待，为何独独对这个未曾谋面的胡兰成，愿意如此低眉俯身。是她寂寞了吗？还是她有感应，这个男子不同于那些凡夫？是那根叫缘分的线，将之牵引？又或许仅仅只是好奇而已。

总之，张爱玲如约而至，去了胡兰成在上海的家，大西路美丽园。胡兰成这个家由侄女青芸打理，今日或许因为张爱玲的到来，刻意打理了一番。胡兰成对这次相见，定然有所期待，他不止千百次地想过，能写出如此惊世文字的女子，该有怎样的容颜。或许在他的心中，早已刻画出一个真实的张爱玲模样。其实早在杂志上，胡兰成就看过张爱玲的一张照片，除了知道她芳华之龄，其余终究不够清晰。

而张爱玲对这个乱世里背景有些特殊的男子，是否亦心存淡淡渴望？想来亦是有的，只是我们无法确切地知道她的心情而已。初见时，胡兰成曾有一段细致的描写："我一见张爱玲的人，只觉与我所想得全不对。她进来客厅里，似乎她的人太大，坐在那里，又幼稚可怜相，待说她是个女学生，又连女学生的成熟亦没有。我甚至怕她生活贫寒，心里想战时文化人原来苦，但她又不能使我当她是个作家。"

这到底是怎样的感觉？有失望？有惊奇？有迷乱？总之，以风流自居的胡兰成，不知阅过多少女人。风情万种、清纯可人、妩媚妖娆、朴素大方的皆有，却独独不曾遇这样的女子。她的气质，是骨子里渗透出来的，可以霎时摄人魂魄，却又说不出究竟是何种滋味。

"张爱玲的顶天立地，世界都要起六种震动，是我的客厅今天变得不合适了……她的亦不是生命力强，亦不是魅惑力，但我觉得面前都是她的人……"胡兰成的表达令读者也随之迷惑，以往见过张爱玲的人，多半说她高大清瘦，斯文冷傲。然而在胡兰成这样一个堂堂男人面前，张爱玲却被无限放大。好似她是个从天而降的"神"，让人不可躲避，只能对她凝神注目。

多年以后，胡兰成的侄女青芸，亦对她初见张爱玲有过一番特别的印象："张爱玲长得很高，不漂亮，看上去比我叔叔还高了点。服装跟人家两样的——奇装异服。她是自己做的鞋子，半只鞋子黄，半只鞋子黑的，这种鞋子人家全没有穿的；衣裳做的古老衣裳，穿旗袍，短旗袍，跟别人家两样的……"

她不美丽，亦不是那种让人即刻喜欢的女子。她的出现，令胡兰成曾经对美的定义、对美的标准，彻底打乱了。"是个观念，必定如此如彼，连对于美的喜欢亦有定型的感情，必定如何如何，张爱玲却把我的这些全打翻了。我常时以为很懂得了什么叫做惊艳，遇到真事，却艳亦不是那种艳法，惊亦不是那种惊法。"

这样举世无双的女子，到底还是惊了他。他甚至在抵触对她的仰望，来掩饰内心的慌乱。"我竟是要和爱玲斗，向她批评今时流行作品，又说她的文章好在那里，还讲我在南京的事情，因为在她面前，我才如此分明地有了我自己。"毕竟是张爱玲，年仅二十四的她，不曾恋爱过的她，竟然让胡兰成这个风月老手如此不知所措。

张爱玲是从骨子里散发出的气质和美丽，她的文字和情愫，又岂是世间凡庸女子所及的？胡兰成不会不知道，这样的女子，深刻起来会让山河失色，岁月成尘。这样的女子，是任你穷尽人海，也不得相遇的绝代佳人。这种无与伦比的惊艳，自是令他心头翻涌难言。

这样一次闲谈，竟谈五个小时。倘若是知己良朋，五个小时的交谈，尚不算长。但对于两个初见的陌生人，五个小时的交谈，确实很久。况且张爱玲素日里寡言少语，她对胡兰成何来这么多的话语？难道是她平日所见的皆是一些少经世事的青年男子，突遇像胡兰成这样有过许多故事的男人，心生某种无以言说的念想。毕竟那些没有内蕴的轻薄男子，实在难以令张爱玲有丝毫沉醉的理由。

胡兰成是一壶被时光储藏的窖酿，走过四季霜华，看过人生起承转合，自有一份幽深与宁静。张爱玲那颗孤独了廿年的芳心，终究需要一份灵澈与深邃的人给予喂养。所以，她情不自禁地品了这杯陈酒，并为之深深动容。

胡兰成是这么说的："我的惊艳是还在懂得她之前，所以她喜欢，因为我这真是无条件。而她的喜欢，亦是还在晓得她自己的感情之前。这样奇怪，不晓得不懂得亦可以是知音。"这种带有蛊惑的遇合，终究是我们所不能明白的。他们如何就这样钟情了一个陌生人，如何就这样试着藏进心底，我们难以言说。

他在她眼里，是一碗掺合了世情百味，又醇香无比的酒酿，世上再无此味道。她在他眼里，是一株开到耀眼、开到荒芜的红芍药，人间再无此颜色。五个小时的交谈，却意犹未尽。原本不舍就这样离开，奈何良辰向晚，再美的筵席也要曲终人散。

张爱玲要走，胡兰成送她到弄堂口，并肩而行，彼此内心恍惚。胡兰成不经意说了一句话："你的身材这样高，这怎么可以？"只这么一句，把两个人说得这样近。张爱玲诧异，甚至有些不喜欢。他们心底，却又真的觉得那么好。

是的，那么好。只一句这样的话，他愿为港，护她周全。而她愿成舟，为他搁浅。

尘埃花开

【张爱玲语录】见了他，她变得很低很低，低到尘埃里。但她的心里是欢喜的，从尘埃里开出花来。

不知是相遇过早，还是重逢太迟，为何有种突如其来的喜悦，又有种浮云过眼的凉薄。他们的爱情，像是一株历尽风霜的老树，在迟暮，绽开新的绿芽。她此时风华绝代，他的出现令她有种微雨燕双飞的惆怅。他恰好锋芒渐失，她的到来，令他有种意兴阑珊的安然。

岁月其实待张爱玲不薄，在她最好的时刻，给了她一段爱情。无论这个男人是否值得她付出芳心，但她的生命总是要有这么一个人。不然错过了，只能怪流光不解风情，无端负了华年。

见罢胡兰成，张爱玲的心再也不能回到从前。这夜，她独倚窗台，看清冷月色，才恍然这些年她不过在演一场独角戏。原以为山水不欠，守着一段时光独自沉醉，也可以微笑。直到胡兰成的出现，她知道，她要的生活，终究是如她笔下的人物一般，烟火与共。

仕途失意，却让胡兰成得遇一个张爱玲，他越觉世事原来这般宽厚。在情感的路上，胡兰成可谓是春风得意，除了妻子全慧文，胡兰成还有一个旧好，原是百乐门的歌女，后亦委身于胡兰成，留在南京。但这些女子都是不够的。又或者说，再多的女子也无法阻挡胡兰成那颗生性多情的心。更况，此次遇见的是红遍上海文坛的张爱玲，于他，当是午夜惊鸿。

第二天，胡兰成再访张爱玲。这一次，她长年深锁的门为他从容开启。张爱玲竟刻意为他打扮过，宝蓝绸袄绔，带了嫩黄边框的眼镜，很见风韵妖娆。当胡兰成踏进她的屋子，就开始了不安。他的不安，是因了这房里的华贵。而这华贵，不是因为家具的贵重，而是一种恰到好处的别致，是一种现代的新鲜明亮，带有无边的诱惑与刺激。

“阳台外是全上海在天际云影日色里，底下电车当当地来去。”这是怎样的生活，让一颗心瞬间想要放飞。京戏中，刘备到孙夫人房里竟然胆怯，而此时的胡兰成走进张爱玲房里亦有这样的感觉。所以他会不由自主地说："你们这里布置得非常好，我去过好些讲究的地方，都不及这里。"而张爱玲却说这里的一切都是母亲和姑姑所布置的，若她，或者会喜欢更浓烈的色彩，那样温暖且亲近。

到底不是凉薄的女子，心软到无力承受。看着胡兰成在她面前，讲他的生平往事，讲他的才气学识，她亦只是听着，她都懂。胡兰成后来说过："男欢女悦，一种似舞，一种似斗，而中国旧式栏上雕刻的男女偶舞，那蛮横泼辣，亦有如薛仁贵与代战公主在两军阵前相遇，舞亦似斗。"他向来是不喜比斗的，可是如今见了张爱玲，却要比斗起来，因为他棋逢对手，他想要征服。

"但我使尽武器，还不及她的只是素手。"可见胡兰成心中的张爱玲是何等的锐利，何等的绝代。平生之修炼，行走江湖也算是有余，到了张爱玲这里，竟这般渺小。可云水苍茫，烟花柳月，他总不愿顾及许多，只这么说着，便要起诺，但守天荒。

当下时光，一刻值千金。胡兰成没有工夫再去比斗，亦不知该如何将这份心事继续下去。他不知，在张爱玲心里，他是一个风光霁月的男子，美如春花，瘦如秋水。或许是张爱玲之前接触的男子，实在没有一个如胡兰成这样倜傥风流的吧。看过胡兰成的照片，他长得并不十分英气，但有一种说不出的魅力。正是这种魅力，让这个情窦初开的女子，难以把持。

不知道，是不是陷入爱情的人总是会输。命运给了张爱玲这份机缘，满足了她对一个男人诸多深邃的渴望，同时这也是一场博弈。破茧成蝶的她，原本在上海滩舞得风生水起，可遭遇了一段爱情，她的世界就这样无辜地变了模样。

又是一场漫长的交谈，在迫不得已的时候终止。胡兰成回去之后，立即取了纸笔，给张爱玲写了第一封信，信的内容竟写成了像五四时代的新诗，幼稚可笑。胡兰成一直有着自以为是的文采，可这些到了张爱玲那，就显得贫乏浅薄了。才情原本就没有可比性，以胡兰成的阅历，不至于在张爱玲面前如此拘谨。但因了爱情，他的成熟，就不再那样深沉了。

张爱玲回信："因为懂得，所以慈悲。"这句带着禅意的话，道尽衷肠。似乎再无需过多的话语，只要彼此内心懂得，就是最大的慈悲。张爱玲其实并不冷漠，也不张扬，她骨子里懂得众生不易，所以她能够对世事、对人情报以宽容。所以面对一个年长他十余岁，又有家室，还有复杂背景的胡兰成，她没有怯懦，而是选择义无反顾。而胡兰成后来竟说她生性冷情，那样的不理解，对她难道不是一种残忍?

接下来的日子，胡兰成每隔一日必去看张爱玲。他们在那座美丽温情的公寓，喝大杯的红茶，吃精致的点心，谈文艺，说故事。如此情趣相投，像认识了数十年。张爱玲的姑姑见此情景，只觉不妥。她认为胡兰成的背景太不干净，再者又有妻室家小，张爱玲如此一个清白小姐，与他亲密交往，如何使得？

张爱玲虽离经叛世，但毕竟身处红尘，亦知人言可畏。这段爱情原是这样不圆满，令她心生凄凉与慌乱。她给胡兰成送去了一张字条："以后不要再来相见了。"而自傲的胡兰成认为，这世上不会有什么事冲犯，他仍旧去看她，而张爱玲依旧掩饰不住内心的欢喜。爱已至此，怎问因果。姑姑亦是爱过的人，不会不懂，所以她不再阻挡。

以后索性天天相见，每天日子都是新的，每天愿望都得以实现。那日胡兰成偶然说起张爱玲登在《天地》上的那张相片。翌日她便取出给他，背后还写有字："见了他，她变得很低很低，低到尘埃里，但她心里是欢喜的，从尘埃里开出花来。"

自此，她放下所有骄傲，为他低落尘埃，为他念念不休。究竟是怎样的男子，可以让张爱玲甘愿在尘埃里开出花朵。胡兰成为她调制了一杯毒酒，她含笑举杯，一饮而尽。红尘世路，烟柳断肠，她的坚定，她的无悔，让读者落泪。此后，是坦途还是流离，全凭宿命。

就这样沉在时光里，水深火热起来。那段日子，胡兰成多半留在南京，但他每月总要回上海一次，住上八九天。每次回上海，不到家里，先去看张爱玲，踏进房门就说："我回来了。"如此，两人伴在房里，男废耕，女废织，连同道出去游玩都不想，亦且没有工夫。那时候，他们的世界，没有晨昏，没有无常业障，只有温柔情深的彼此。

两个人在一起，总有说不完的话。但他们都是思想受过训练的人，又都骄傲自负，所以难免有些不以为然。胡兰成说过："爱玲种种使我不习惯。她从来不悲天悯人，不同情谁，慈悲布施她全无，她的世界里是没有一个夸张的，亦没有一个委屈的。她非常自私，临事心狠手辣……她却又非常顺从，顺从在她是心甘情愿的喜悦。且她对世人有不胜其多的抱歉，时时觉得做错了似的，后悔不迭，她的悔是如同对着大地春阳，燕子的软语商量不定。"

不知道这对张爱玲究竟是褒，还是贬。或许胡兰成是那个真正懂得她的人，也是这世上真正爱她的人。只是张爱玲太过干脆，太过洁净，太过鲜明，有时候令胡兰成心生惶恐。她的优势令他不敢逼视，竟好到让他心生不安。这样的女子不爱牵愁惹恨，不爱拖泥带水，她是陌上赏花人，亦不落情愿的一个人。

在一起时，只顾男欢女爱，伴了几日，彼此也吃力。胡兰成去了南京，张爱玲亦有了时间写字。每次小别，亦并无离愁，倒像是过了灯节，对平常日子倒觉有一种新意。若说没离愁，她却总在夜里独自感伤，只是到底不肯缠绵悱恻，流泪不止。

而胡兰成也乐得自在，尽管他深爱张爱玲，但她也终究是他群芳谱里的一个佳丽，纵然她有别于其他女子，可世事短长，终无他恙。胡兰成在《今生今世》里写过："我已有妻室，她并不在意。我有许多女友，乃至挟妓游玩，她亦不会吃醋。她倒是愿意世上的女子都欢喜我。"

这话中滋味，竟是令人心生惆怅与遗憾。或许是张爱玲太过自信，她明知道胡兰成生命里有许多过客，但她不以为受到威胁，反而觉得自己会是他最后的归人。这场金风玉露的相逢，终究给不了她朝朝暮暮，地老天荒。张爱玲不知道，温天暖地的日子，也是万劫不复的开始。

第四卷 Chapter・04

人生有情皆过往

倾城之恋

【张爱玲语录】比起外界的力量，我们人是多么小，多么小！可是我们偏要说：我永远和你在一起；我们一生一世都别离开。——好像我们自己做得了主似的！

乱世里的姻缘，如惊涛骇浪，终究不是你我说了算。张爱玲只想踏花拾锦年，枕梦寻安好。她不问世事，世事会来追问她。她不关心政治，政治亦会来关心她。但她决定了的事，无从更改。她愿意为爱承担，矢志不渝。

也许张爱玲不会承认自己爱错了人，但这是毋庸置疑的事实。她和胡兰成的这段倾城之恋，不知从何时开始，成了上海众说纷纭的对象。但她不在乎，始终和胡兰成过着男欢女爱的日子，看日光冉冉升起，再缓缓下落。

张爱玲依旧不喜与人交往，胡兰成在外界交往的朋友，她几乎不见。她把所有与外界相关的事叫做纷乱。尽管此时她置身剑锋之上，亦不惊不惧。胡兰成是走过沧海桑田的人，他喜欢张爱玲如此利落，因为他亦不愿为这段莫测的感情，做出过多的实践和承担。他甚至不以为这世上再无他人，会像他这样如此爱她。所以，他和张爱玲这般浓情蜜意地交往，不曾背负愧疚之心。

胡兰成试问过张爱玲对结婚的想法，而张爱玲说她没有怎样去想象那个。她也没有想过去和谁恋爱，就连追求的人，似乎都没有，就算有，她亦不喜。然而爱情来时，当真是无从挑剔。而婚姻也是这般，来得那么不动声色。

“我与爱玲只是这样，亦已人世有似山不厌高，海不厌深，高山大海几乎不可以是儿女思情。我们两人都少曾想到要结婚。但英娣竟与我离异，我们才亦结婚了。是年我三十八岁，她二十四岁。我为顾到日后时局变动不致连累她，没有举行仪式，只写婚书为定，文曰：胡兰成张爱玲签订终身，结为夫妇，愿使岁月静好，现世安稳。上两句是爱玲撰的，后两句我撰，旁写炎樱为媒证。”

这是胡兰成的原话，果真是爱了一个人，曾经以为要慎重的婚姻，竟如此习以为常。胡兰成这里提到和英娣离异，不知那个全慧文又是如何安排。他的情感世界太过纷乱，莫说是旁人，或许连他自己都弄不明白。然而纵是如此，张爱玲亦不计较。他们的结合似乎很是理所应当。没有费尽心思去争天夺地，也没有伤害别人，甚至连仪式都没有，只写婚书为定。

张爱玲究竟要什么？骄傲如她，难道要这样一个虚无的名份？要一场未知的约定？还是她真的可以把握，她将是胡兰成最后的归宿？又或许她根本就不在意那些，地老天荒从来就是个神话，她小说笔下的男女，有过几多圆满的结局？牵手是一种形式，坦然地牵手是为了将来洒脱地放手。

张爱玲纵然清醒，可她又何必以一世清白来换取这段错误的婚姻。她在《倾城之恋》里曾经这么写道："'死生契阔，与子相悦，执子之手，与子偕老。'我看那是最悲哀的一首诗，生与死与离别，都是大事，不由我们支配的。比起外界的力量，我们人是多么小，多么小！可是我们偏要说：'我永远和你在一起；我们一生一世都别离开。'——好像我们自己做得了主似的！"

是的，半点由不得人。茫茫世路，一眼望去，尽是辨别不清的风月情仇。漫步前行的人，自己都不知道下一站将抵达哪里。胡兰成说："我们虽结了婚，亦仍像是没有结过婚。我不肯使她的生活有一点因我之故而改变。两人怎样亦做不像夫妻的样子，却依然一个是金童，一个是玉女。”

果真只有张爱玲，不肯为任何人改变自己。纵然她爱到无可救药，委身尘泥，可她与生俱来的性情，誓死不改。正是这样一个张爱玲，让胡兰成在她身上重新看到自己与天地万物。不再是以往那样，看山是山，看水是水的单调，而是一种更清醒的认知。倘若没有张爱玲，胡兰成后来亦写不出《山河岁月》那样的文字。

胡兰成说："张爱玲是民国世界的临水照花人。看她的文章，只觉得她什么都晓得，其实她却世事经历得很少，但是这个时代的一切自会来与她交涉，好像花来衫里，影落池中。”而张爱玲亦对这世间万物，充满尊重。她并非是那种愤世嫉俗的女子。她说："现代的东西纵有千般不是，它到底是我们的，与我们亲。”

纵浪风云，亦愿世事安谐。婚后，二人在一起如同“照花前后镜，花面交相映。”就那样同住同修，同缘同相，同见同知。胡兰成喜与张爱玲读书探讨，在张爱玲那里，寻常都可以石破天惊，惊绝四海。前人说夫妇如调琴瑟，胡兰成是从张爱玲那才得调弦正柱。

然而，她似乎对他百依百顺，但不依之时还是不依，又不会逆反，只安静听着。张爱玲喜在房门外悄悄窥看胡兰成在房里，她写道：“他一人坐在沙发上，房里有金粉金沙深埋的宁静，外面风雨琳琅，漫山遍野都是今天。”

她之情深，令江山壮美难言。但她那种对世事人情了如指掌的醒透和冷静，亦让胡兰成觉得惶恐不安。无论对待什么，她都不轻易用情。别人认为感动的，她不觉感动。别人要流泪的，她落不下泪来。她用情，竟是如此理性。所以她总不会被莫名的情事，弄得遭灾落难。

尽管这样，又能如何。终究做不了局外人，终究为了他落魄成尘。情到深时，又岂是他人能阻？张爱玲愿意在白山黑水中，为他绽放，向死而生。如果有朝一日，他要薄寡，她亦会决绝转身，与之再无任何干系。

胡兰成一半满足，一半惶恐。他既知张爱玲愿为他赴汤蹈火，在所不辞，亦知她心性孤冷，不会盲从。所以在一起的时候，总有千般滋味，难以言说。一日，二人在雨中同坐一辆黄包车。张爱玲坐在胡兰成身上，胡兰成觉得她生得那样长大，且穿着雨衣，他抱着她只觉得诸般不宜，但又是难忘的实感。或许这就是张爱玲给胡兰成的感觉吧，相守之时，总是诸般不适，却又实难忘怀。

和胡兰成在一起的日子，张爱玲怠慢了写作，她似乎很难再写出超越之前的作品。那时候，张爱玲正连载《连环套》，傅雷对这篇文章有了批判，他说："《连环套》逃不过刚下地就夭折的命运。"他觉得，除了男女之外，世界毕竟还辽阔得很。

而胡兰成亦觉得，张爱玲的才情将要歇息一个段落。"她对于人生的初恋将有一天成为过去，那时候将有一种难以排遣的怅然若失，而她的才华将枯萎。"枯萎是不至于，但是一个人生了执念，尝了烟火，定是不能那般秋水长天了。再说纵是枯萎又何妨，江山更替，人事无常，谁可以在浩荡风烟中一如既往。

这些于张爱玲都是无惧的。乱世里，所有触摸到的，遥远的，皆是过眼浮云。胡兰成是有预感的，他知所处的时局飘摇不定，有朝一日，夫妻亦要大限来时各自飞。但他说："我必定逃得过，唯头两年里要改姓换名，将来与你虽隔了银河亦必定我得见。"爱玲道："那时你变姓名，可叫张牵，又或叫张招，天涯地角有我在牵你招你。"

他果真要走，婚后不过几月，便要行走天涯。一九四四年十一月十日，汪精卫病死。胡兰成受日本人池田的周旋，与沈启无、关永吉等人到汉口接收《大楚报》。此番前去，并非是因为单纯的文艺新闻，而是期待在日军势力扶植下有另一番大的作为。人总是与时代并行，胡兰成何曾甘于寂寞。

那些男的废了耕，女的废了织的日子去了哪里？那些桐花万里路，连朝语不息的恩情去了哪里？他终不能过岁月静好、安之若素的生活，那颗向往腾飞的心不曾泯灭。他要走，她自是不会留的，连一句柔软的话也说不出。

打点行装，握紧那张船票。穿上她最爱的旗袍，与他从昏黄的里弄走过，迷离烟雨漫过心头。自此君去，后会何期。她知，无尽的时光很容易就改变一个人。她不会要他许下承诺，因为任何承诺都抵不过瞬间的相守。但隔了迢迢银汉，她的心，终究惶惶不得安枕。

情深不寿

【张爱玲语录】如果情感和岁月也能轻轻撕碎，扔到海中，那么，我愿意从此就在海底沉默。你的言语，我爱听，却不懂得，我的沉默，你愿见，却不明白。

到底是春风不知心事，流年在朝飞暮卷中走过，没有给任何人留下交代。她很安静，不愿开口询问为什么。而他的信誓旦旦，在须臾之间化作浮灰。只为一场遥不可及的仕途梦俯首称臣，决绝忘记昨日盟定鸳侣时的万种柔情。

胡兰成渡船来到武汉，《大楚报》的社址在汉口，胡兰成此去被安排在汉阳县立医院暂住。汉阳医院与大楚报社之间，仅是汉水一隔，胡兰成每天须过江去上班。听上去多么令人向往，渡江往返，云霞作衣，沙鸥为伴。虽然处身风云乱世，但江湖还是那个江湖。

胡兰成这一走，张爱玲难免心生寥落。以往小别去南京，她反觉得清净，可以拥有一个人的时光，伏案书写。而如今一别，山水迢遥，落木萧然，相见虽有期，只怕那人世偷改换。她本是不畏世间冰冷的，本是不惧薄情寡义。奈何就生生怕了这个胡兰成，为他如此魂牵梦绕，又寂灭无声。

好在这段时间张爱玲亦不得空闲，她要忙于《倾城之恋》的改编、上演。《倾城之恋》在上海兰心大戏院排练，张爱玲甚是关心。她亲自到场选演员，最后白流苏由名角罗兰饰演。看着自己笔下的女主角换上华装，添了灵魂，有了血肉，就好像把戏做了真。

张爱玲在《罗兰观感》里，第一段就是这么写的："罗兰排戏，我只看过一次，可是印象很深。第一幕白流苏应当穿一件寒素的蓝布罩袍，罗兰那天恰巧就穿了这么一件，怯怯的身材，红削的腮颊，眉梢高吊，幽咽的眼，微风振箫样的声音，完全是流苏。使我吃惊，而且想：当初写《倾城之恋》，其实还可以写得这样一点的……"

"我希望《倾城之恋》的观众不拿它当个遥远的传奇，它是你贴身的人和事。"这句话也印证了这出戏的成功。《倾城之恋》在上海新光大戏院举行首场公演，门票销售一空。那是个寒冷的冬夜，可丝毫没有影响观众的热情。电影导演桑弧观看了首演后，决意要与张爱玲进行合作。

这部《倾城之恋》轰动了整个上海滩。当时许多名人，对这部戏都是好评如潮。而张爱玲的名字，再次成为上海传奇。烟火绽放，绚丽无比，只是再璀璨的风景也只是惊鸿刹那。这世间没有不会凋落的花，没有不会老去的树，张爱玲的创作也会抵达一个极致的巅峰。之后，那些飘飞的落英，纷洒的残雪，足够我们用一生的时光去品味。那些存在过的美丽，被定格在岁月的相册里，落上一点尘埃，并不影响我们去怀旧。

《倾城之恋》的结局有这么一句话："谁知道呢，也许就因为要成全她，一个大都市倾覆了。成千上万的人死去，成千上万的人痛苦着，跟着是惊天动地的大改革……"事实上，张爱玲比谁都清醒，她明白荣枯有定，盛衰有时。她后来再也没能超越这时的辉煌，又或者，她骄傲地知道，人生需要适可而止，事业，生活，还有感情。

文字固然是张爱玲生命中不可缺少的美丽，但她想念的还是那些读书喝茶，废了耕织的日子。尽管她不是那种依靠爱情喂养的女子，可是那个穷尽人海等到的人，她终想要好好珍惜。但那个每日往返于汉水，浸泡在硝烟中的胡兰成，又给自己的人生，做了怎样的安排?

初到武汉的胡兰成，当是全心全意爱着张爱玲的。一个远行游子，泛舟行吟，前程未卜，那时候他的心应该柔软无比。更况他身处的是一个，时常有警报和空袭的时期。据说有一天，胡兰成在路上遇到了轰炸，人群一片慌乱，他跪倒在铁轨上，以为自己就要被炸死了。绝望之中，他喊出两个字：爱玲！想来这时的张爱玲，是胡兰成生命里所有的寄托。

可胡兰成的情感世界，何曾有过倦意，有过消停。他不是那种守着一段情缘，一寸风景，甘愿偏安一隅的男人。他乐意携妓啸游，不畏跋涉，随兴山河。尤其此时的他，在这座陌生的城，尽管远在千里之外的张爱玲，从未间断过给他鱼雁传书。可是那几张薄薄的，没有温度的信笺，如何可以慰藉他的相思？如何能够打发他无边的寂寞？

胡兰成寄住的汉阳医院，与几个女护士为邻，而这些女护士有好几个正值如花年华，天真纯洁。生性多情的胡兰成，每天看着这些含苞待放的蓓蕾，怎能禁得起诱惑。所以他一下班，就去找那些小护士，与她们谈天说地。胡兰成的魅力自是不可言说，连绝代风华的张爱玲，都为之俯落为尘，长醉不醒。这些柳岸桃枝，只怕无需过多笼络，便唾手可得了。

这几个女护士中有一个叫周训德的，聪明调皮，很有志气，令胡兰成格外注目。胡兰成说她："虽穿一件布衣，亦洗得比别人的洁白，烧一碗菜，亦捧来时端端正正。"然而，就是这份洁白与端正，让她付出了疼痛的代价。认识胡兰成，是她的不幸，是她人生一场不可避免的恶梦。如果说记忆也曾给了她一段美丽，那就是这个男子让她从画柳春晓，转身就步入秋色黄昏。

起先在一起，胡兰成还一本正经地教小周读唐诗宋词，哪知他背后藏了怎样的打算。本是如花少女，清婉素颜，暗怀心事，他胡兰成不会不知。读了这些风月词章，她更是心旌摇荡。小周为人热心，除了帮胡兰成洗衣煮茶，还经常为他抄写文章。日子久了，两个人形影不离，携手静好。

这小周是良家女子，奈何家境贫苦，父亲病死，母亲是妾，家中还有弟妹。这一切，造成了小周的弱点，就是她比寻常人更需要温情与宠爱。胡兰成趁机大献殷勤，一起背诗填词，去江边漫步。没过几天，就直接表达心中爱意。小周原是怕的，她畏惧人言。她知胡兰成大自己足足二十二岁，且他这年龄家中必定早有妻室。母亲是妾，对她来说，一直是个阴影，她不想步母亲后尘，再落为人妾。

种种缘由，令她心生惶恐。奈何眼前的男人对她甜言蜜语，百般恩宠。一个情窦初开的少女，终究还是抵不住这般柔情诱惑。辗转几日，小周给胡兰成送去了一张照片。胡兰成让小周在后面题字，作为纪念。小周写下了一首他教的隋乐府诗："春江水沉沉，上有双竹林。竹叶坏水色，郎亦坏心人。"

就这样轻而易举落入他设下的情局，陷进他编织的情网。短短几个晨昏，二人双双坠落爱河，堂而皇之地居住在一起，过起了男欢女爱的日子。此时的周训德也不怕流言蜚语，她愿为这男人长发绾髻，绽放春光。而胡兰成也全然忘记了上海滩那位痴情才女，他甚至觉得这场阡陌逢春对她来说，或许不至于造成多大伤害。

东风恶，欢情薄。这胡兰成也算是坦白之人，他写信告知张爱玲，在汉口结识护士小周。想来他必定不会傻到把和小周肌肤相亲的事说出来，也只是浅淡描述几笔，好为将来东窗事发找好说辞。而张爱玲权当没这回事，她甚至淡淡回了句："我是最妒忌的女人，但是当然高兴你在那里生活不太枯寂。"

是张爱玲过于自信，还是她深知缘起缘灭，不是人力所能把握的。她认为，年过四十的胡兰成，能和一个刚满十六岁的如花少女发生什么事，无非是一份欣赏和怜惜罢了。再者她知道，一个背井离乡的男子有许多寂寞需要排解，有一个可以说话的朋友，也未尝不是坏事。

这些都是我们的猜测，写过诸多情爱故事的张爱玲不会不知道，男人和女人之间，除了情爱，真的别无他事了。看似洒脱从容的她，只能把感情颠簸当做是一种寻常。人心叵测，朝暮无常，她能如何?

胡兰成自然也不隐瞒小周，他告知在上海还有一个太太。这一切，本在小周的预料之中，听后不过洒下几行心伤的眼泪，又被胡兰成几句哄劝的话，把愁闷弄得烟消云散了。她本是良善女子，在她眼里，胡兰成也算是个人物，有他这样的呵护，已是感恩了。就连胡兰成素日里给她的一些钱物，她都拒绝。她只当自己托付的是个仁人君子，又如何知道，胡兰成那么多的风流情史，如何知道，她不过是他顺手攀折的一枝小桃花。

情到深处无怨尤。小周如是，张爱玲亦如是。小周为了这份恬淡醉人的幸福，痴心不已。远在上海的张爱玲，只影孤灯，相思成疾。在这个未逢来者，不见归人的日子里，她低眉写下：听到一些事，明明不相干的，也会在心中拐好几个弯想到你。

曾经沧海

【张爱玲语录】娶了红玫瑰，久而久之，红的变了墙上的一抹蚊子血，白的还是『床前明月光』；娶了白玫瑰，白的便是衣服上的一粒饭渣子，红的却是心口上一颗朱砂痣。

他那里是两个人的良辰美景，她这里是一个人的锦瑟流年。他那里姹紫嫣红皆开遍，她这边江雪独钓奈何天。爱情就是如此，来的时候，桃花灼灼，走的时候，落梅纷纷。刹那转身之时，谁还记得那曾经沧海。

当初张爱玲写《红玫瑰白玫瑰》，就知道爱情是怎么一回事。此时的周训德，是胡兰成的床前明月光，心口的朱砂痣；而张爱玲则是墙上的蚊子血，衣襟上的饭粒渣子。这又如何，人来世上本就是为了赴一场又一场的情缘，谁的人生没有忧患，没有残缺。这些道理都懂，只是遭遇之时，又如何可以做到不动如山。叹一声浮生长恨，因果往复，把今世过尽便好。

一九四五年，这个春节胡兰成没有回上海，而是在武汉度过。他写信告知张爱玲，有事务忙，脱不了身，并且不忘添上几句相思之语。其实他心底比谁都清楚，他舍不得眼前的新欢。

除夕烟火，璀璨至极。明朗的月下，人们忘记生逢乱世，在欢笑声中歌舞太平年岁。那时的上海滩，定是风情妖娆。而张爱玲对胡兰成的变心一无所知，但她心里明白，那些长相厮守的日子真的好遥远。她在上海的公寓，和姑姑围着壁炉，喝红茶，吃点心，倒也安宁。但心中那份烂漫而微涩的情感，总会隐隐作痛。

这一处，郎情妾意，鸳鸯双宿。胡兰成携着小周去了汉口的集市，置办年画，特意买了一张和合二仙，挂于胡兰成居住的房中。和合二仙为民间传说之神，主婚姻和合，故亦作和合二圣。面轴之上两位活泼可爱、长发披肩的孩童，一位手持荷花，另一位手捧圆盒。民间婚礼之日必挂悬于花烛洞房之中，或常挂于厅堂，以图吉利。

这个除夕之夜，宛若胡兰成和小周的新婚之夜，无限浓情蜜意。然而彼此欢愉过后，却又感到淡淡的凄凉。小周知道，自己不能这样没名没份地和胡兰成过一生，眼前的幸福是一场随时可能醒来的梦。待离别的那一天，她又该何去何从。胡兰成虽然习惯了恣意放情，但心中亦有惭愧，他自知时事风雨飘摇，而自己在这里不会长久。小周如花之龄便委身于他，他年诀别，又该如何交代?

果真是要别了。三月，胡兰成要去上海一次，虽说只是小别，胡兰成还要回武汉。但这毕竟是他们相处在一起时的第一次离别，难免惆怅。再说萍水之缘，如风中飞絮，何曾敢去想那永远。说不出的话终究要说，胡兰成自是山盟海誓一番，只说事情办好，便会返回。

离开的那一天，胡兰成和小周去了江边漫步，心中凝聚万千感慨，难以言说。时光好像比往常要快了那许多，转眼就日落西山。而小周亦强忍悲伤，淡淡微笑："回去该看看张小姐了，你此去不必再来的。待你走后，我自是要嫁人的。" 虽是有意如是说，话音刚落，已痛彻心扉。

抵达上海的胡兰成，迫不及待地去了张爱玲的公寓，这对久别重逢的夫妻，恩爱如初。心高气傲的张爱玲，兵荒马乱之时都不恐惧，可一遇到这男子，便瞬间为之倾城，为之烟火。胡兰成是个多情男子，他是个只看眼前人的薄幸之人。一见了张爱玲，他脑中浮现的都是他们过往的幸福时光。而小周就这么一个转身，成了旧人。

此时的张爱玲和小周，就这样交换了角色。她毕竟是张爱玲，胡兰成见了她，不由自主被她的气场给压倒。这个女子，凭素手就可以击败他所有的武器。她的那种无以言说的惊艳，至今依旧让他意乱情迷。但可惜的是，她的魅力是和他在一起的时候生效，一旦离别，这个男人就按捺不住寂寞，就会去寻找别的女人，寻找另一种他需要的快乐。

张爱玲是感觉到的，他也没打算隐瞒，只是漫不经心地提起小周。张爱玲本不想问，但她还是问了："小周小姐什么样？"胡兰成心中难免慌乱，他回答的声音很低，几乎悄然，很小心戒备。举不出什么特别，只说了句："一件蓝布长衫穿在她身上也非常干净相。"她笑："头发烫了没有？"他答："没烫，不过有点……朝里弯。"说完，很费劲地比划了一下。

张爱玲自是不问了，她心中已经明白，胡兰成和那个叫小周的女孩，定然有了故事。但是故事的情节究竟发展到如何，她不愿去想许多。她知道，像胡兰成这样倜傥的男子，这一路发生了太多这样的小故事。只要无伤大雅，她甚至可以忽略不计。然而，她心里是妒忌的，只是她做不到痛哭流涕。她就是这样的女子，不轻言别离，一旦转身，就再不会回头。

胡兰成就是被这些好女人给宠坏了，所以他才会这样一次又一次肆无忌惮地辜负她们。错到不能回头，他还会以为自己很无辜。在上海待了月余，胡兰成依旧对张爱玲呵护备至。在一起时绝口不提小周，好像小周已经从他的世界淡出。或许这就是胡兰成一贯的作为，所以那些女子，总还以为自己在他心里，真的是那么重要。

上海的三月，正是柳絮纷飞。张爱玲着一袭花色旗袍，浮耀于街头，柳絮纷落在她的发际。而胡兰成则在她身边，为她温柔地捉柳絮。这幅画想来真是美妙无比，那般恩爱，一如从前。胡兰成，是诸多女子的夫君，却只是张爱玲唯一的男人。但这个男人，已经习惯了不去珍惜。又或者说，他的世界，没有珍惜这两个字。

这期间，胡兰成送侄女青芸回杭州结婚。青芸这些年一直伺候胡兰成的生活，如今嫁了老家胡村附近的一个木材商人，也算有个依靠。但青芸婚后，还是继续回胡兰成上海那个家打理。而她的老公，则为胡兰成做些琐碎的事。

时光终是不肯让步，胡兰成和张爱玲如此恩爱月余，又要匆匆离散。此次离别，对张爱玲来说，是一种剜了心的空茫，因为她知道，在武汉还有一个花样女孩子在等着他。她甚至不敢相信，他们之间是真的有了什么。

她甚至欺骗自己，胡兰成和小周不过是寂寞时玩的一场游戏。

等到游戏结束，一切又如初了。毕竟他们之间有过婚书，有过岁月静好、现世安稳的约定，有过同住同修、同缘同相、同见同知的情深。

而胡兰成却不是这样想，他记得快，忘得也快。他渴望携手伴华年，亦向往放逐觅知己。他要的不是指点江山的豪气，而是交杯换盏的柔情。五月，胡兰成背着行囊匆匆回到武汉，汉口的万家炊烟令他有种回到家的亲切。渡汉水，回医院。他的心里，想的只有小周，那个在家中默默等他的小小妻。

胡兰成和小周在这里度过了最后几个月，世道纷乱，他们把每一天当做一年来度过。小周也不再计较名分，只想着，在一起一日便是一日。胡兰成自知时局越发地不稳，他亦不想再过多地牵累小周。彼此相守，虽是情深意长，却终日惶恐不安。

胡兰成在《今生今世》里有过这样一段描写："忽一日，两人正在房里，飞机就在相距不过千步的凤凰山上俯冲下来，用机关枪扫射，掠过医院屋顶，向江面而去。我与训德避到后间厨房里，望着房门口阶沿，好像乱兵杀人或洪水大至，又一阵机关枪响，飞机的翅膀险不把屋顶都带翻了，说时迟，那时快，训德将我又一把拖进灶间堆柴处，以身翼蔽我……"

张爱玲说得对，乱世里的人，得过且过。何况像胡兰成这样的身份，他的不清白，终究要被历史批判。到底还是支撑不住，胡兰成有预感，离大限不远。

八月十五日，日本无条件投降，他穷途末路了。胡兰成怂恿二十九军军长邹平凡宣布武汉独立。可山河已定，任谁也不能力挽狂澜，他这一次政治投机，十三天后以失败告终。

胡兰成此时如丧家之犬，山水穷尽，再无退路。为保全性命，他只有逃跑。倘若他当初来武汉，没有和小周发生这段孽缘，孤身来去，倒也罢了。可如今，面对这个为他无悔付出的少女，他情何以堪。

胡兰成走前对小周说："我不带你走，是不愿你陪我也受苦，此去我要改姓换名，我与你相约，我必志气如平时，你也要当心身休，不可哭坏了。你的笑非常美，要为我保持，到将来再见时，你仍像今天的美目流盼……"

不错，临走之前，胡兰成给小周留了一些钱物和金饰，够她一段时日的花费。留下了一些情真意切，令天地为之动容的蜜语甜言。但这些，能弥补什么？可以弥补这个无辜少女日后的凄凉吗？

走的那一天，她忍泪含笑，艳得惊心动魄。而他心里却无比安静，已无了凄凉，亦无安慰的话。渡汉水，胡兰成开始他的天涯逃亡。再相逢，已不知，是何处人家了。胭脂泪，留人醉，几时重，自是人生长恨水长东……

独自萎谢

【张爱玲语录】自己一寸一寸地死去了，这可爱的世界也一寸一寸地死去了。笑，全世界便与你同声笑；哭，你便独自哭。

初秋时节，天如水色，蒹葭苍苍。那些渔笛沧浪、弄月放歌的日子，早已远去。浮生若梦，人心亦不复过往。船行长江，仰见飞云过天，沙鸥阵阵。千百年来，风云起落，多少历史沉没江底，销声匿迹。

逃亡中的胡兰成似乎并不悔恨，他说："我不过是一败。天地之间有成有败，长江之水送行舟，从来送胜者亦送败者。胜者的欢哗果然如流水洋洋，而败者的谦逊亦使江山皆静。"这样一个自负亦丢失良知的人，不懂得迷途知返，反倒觉得天涯逃命，成了一件风光霁月的事。

原本只是为了仕途，走上了一条错误的路，可如今，他倒生生把假做了真。

他终究是狼狈的，靠日本人的掩护东躲西藏。日本军中的人劝他逃亡日本，胡兰成决意要隐藏在民间。他深知，以当下的时局，就算去了日本，也不能一劳永逸。倒不如找个乡野桃源，隐名埋姓躲上一阵，等风声过去，再另做打算。这个男人，似乎在任何时候都可以做到冷静，任世间烟云倾盖，他自昼夜长宁。

这期间，他悄悄给张爱玲写了一封信，告知自己的行踪，报个平安。张爱玲深知他的处境危难，见信后惊喜万分，略宽心肠。九月，胡兰成抵南京。没几日，他又从南京乘火车到上海，这也给了他和张爱玲话别的机会。胡兰成心里明白，风雨到来之时，他需要像张爱玲这样的女人陪在身边。张爱玲有着贵族身世，且洞察世事，是个有气场的女子。所以她无需给他任何实际的支持，看过，便有种说不出的心安。

爱丁顿公寓的居所，胡兰成提到去日本的事。张爱玲听了，只说起曾外祖父李鸿章的一件往事。李鸿章曾代表清廷与日本签订《马关条约》，为此深感耻辱，发誓“终身不复履日地”。后来他赴俄罗斯签订中俄条约，要在日本换船，日本方面早在岸上准备好了住处，可他拒绝上岸。这事看似与胡兰成毫不相干，但胡兰成知道张爱玲的用意，实则劝他不要将自己逼上更深的绝境。胡兰成听后，只是不语。

这一夜，张爱玲辗转难眠。往日在这里存留的恩情，一一浮过眼前。曾经那么相爱的两个人，如今却觉得好遥远、好陌生。抗战胜利，对张爱玲来说原本亦是欢喜的，这是一个作为中国人该有的良知。可看着眼前这个男子，她怎么也笑不起来，她认为自己没有资格笑。他们这份千丝万缕的情缘，注定她要为他一起承担荣辱。她的人生，因为这个男人而不清白。但她没有后悔，只是他的薄幸，实在令人齿寒。

第二天，胡兰成决定由侄女青芸的丈夫沈凤林陪伴，先去浙江躲避。胡兰成离开上海仅十天，重庆“国民政府”就公布并实施了《处置汉奸条例草案》，随即汪伪政府的大小汉奸被抓起来的有一万多名。在当局公布的汉奸名单上，胡兰成榜上有名。

逃亡路上，胡兰成看到自己的名单，亦如惊弓之鸟。随后，他流转杭州、绍兴，再到诸暨，住斯颂德家。这位斯颂德与胡兰成同年，在中学读书时，比胡兰成高两班，后进光华大学读中文系。再后来，不慎染病死了。十八年前，胡兰成来斯家住过一段，所以斯颂德的母亲斯伯母待他亦如子侄。斯家还有个庶母，范秀美，大胡兰成两岁，曾经与斯家老爷生有一女。胡兰成称她为范先生。

然而就是这个范先生，令逃亡在外寂寞难耐的胡兰成，又动了爱慕之心。他在《今生今世》里这么写过：“我与她很少交言，但她也留意到我在客房里，待客之礼可有那些不周全。有时我见她去畈里回来，在灶间隔壁的起坐间，移过一把小竹椅坐一回，粗布短衫长裤，那样沉静，竟是一种风流。我什么思想都不起，只是分明觉得有她这个人。”他的风流情事，真是令看客眼花缭乱。

就这样在诸暨躲藏了几个月，终因浙江查汉奸严紧，胡兰成决定去金华暂避。这次陪同他上路的，就是范先生。可到了金华，又险些撞到了国民党特工“蓝衣社”的手中。后在范秀美的提议下，两人匆匆逃往温州范家的故居。

逃亡的路上，胡兰成见溪山与行路之人对他们无嫌猜，心中的恐慌顿减，对着长晴天气，不禁和范秀美欣赏起这江南初冬之景了。日色风影，溪水声喧，胡兰成又开始对眼前这个女人讲述他的漫长情史了。“两人每下车走一段路时，我就把我小时的事，及大起来走四方，与玉凤爱玲小周的事，一桩一桩说与范先生听，而我的身世亦正好比眼前的迢迢天涯，长亭短亭无际极。”

送郎送到一里亭，一里亭上说私情。范秀美这一送，便送成了以身相许。“十二月八日到丽水，我们遂结为夫妇之好。这在我是因感激，男女感激，至终是唯有以身相许。”多么冠冕堂皇的话，他的背叛，成了感激。世间竟有如此男子，对自己卖国毫无愧悔，辜负无数佳人，亦觉理所应当。他和范秀美欢笑之时，忘记了许过山盟要同修同住的张爱玲，忘记了立过海誓的周训德。

可他在《今生今世》中，对自己和范秀美的这段姻缘，做了如此让人啼笑皆非的解答。“我在忧患惊险中，与秀美结为夫妇，不是没有利用之意，要利用人，可见我不老实。但我每利用人，必定弄假成真，一分情还他两分，忠实与机智为一，要说这是我的不纯，我亦难辩。”

来到温州，胡兰成化名张嘉仪。当初张爱玲说过：“那时你变姓名，可叫张牵，又或叫张招，天涯地角有我在牵你招你。”如今胡兰成果然变了姓名，只是不叫张牵，亦不叫张招。可张爱玲却遵循诺言，一路风尘，千里迢迢来到温州，只为见这薄幸男子一面。她的突如其来，令胡兰成措手不及。胡兰成说他与张爱玲何时都像天上人间，如今他不愿爱玲看到他落魄乡野的狼狈模样。相见之时，他不但不惊喜，反而生怒：“你来做什么？还不快回去！”

“我从诸暨丽水来，路上想着这里是你走过的。及在船上望得见温州城了，想你就在那里，这温州城就像含有宝珠在放光。”这是张爱玲说的话，情真至此，令人心痛难当。而胡兰成受尽红粉佳人之恩，他不报恩也就罢了，却几次三番，狠心伤害。

张爱玲住在公园旁一家旅馆，胡兰成白天去陪她，夜里怕警察查夜。张爱玲此时还不知道胡兰成与范秀美的事，与胡兰成守在宾馆的房舍里，虽有了生疏之感，但温存依旧。“有时两人并枕躺在床上说话，两人脸凑脸四目相视，她眼睛里都是笑，面庞像大朵牡丹花开得满满的，一点儿没有保留，我凡与她在一起，总觉得日子长长的。”

胡兰成不知道，以张爱玲的细腻灵敏的心思，不会觉察不出他和范秀美那份别样的关系。那日，三人在一起，张爱玲夸范秀美生得美丽，要为她作画。胡兰成立在一边，看见她勾了脸庞儿，画出眉眼鼻子，正得画嘴角，张爱玲忽然停笔不画了。范秀美走后，胡兰成一再追问，张爱玲悲伤地说：“我画着画着，只觉她的眉眼神情，她的嘴，越来越像你，心里好一惊动，一阵难受，就再也画不下去了，你还只管问我为何不画下去！”

张爱玲望着眼前这个负心的男人，只觉得可惜。一直压抑着情感，一直用沉默来忍受他的背叛。这一次，张爱玲亦是要胡兰成交代清楚。曲折的幽巷里，张爱玲要胡兰成对小周和她做出选择。胡兰成只说：“我待你，天上地上，无有得比较，若选择，不但于你是委屈，亦对不起小周……”

张爱玲明白，这个男人，是注定给不起她答案的。她做了第一次，也是唯一一次的责问：“你与我结婚时，婚帖上写现世安稳，你不给我安稳？”胡兰成只道世景荒凉，明日之事不可以预测，他无意做出任何辩解。

再无任何逗留下来的理由，次日，张爱玲收拾她简单的行囊，以及那颗千疮百孔的心，离开温州。二月春寒，烟雨迷蒙，胡兰成送她渡船，彼此间竟连悲哀都不敢有了。张爱玲走时留了一句话：“你到底是不肯。我想过，我倘使不得不离开你，亦不致寻短见，亦不能够再爱别人，我将只是萎谢了。”

昨日那场倾城之恋，埋葬于滔滔江浪中，连同她的深情，她的天真。只是这样一个男人，值得张爱玲为之萎谢吗？天地寂寥，古渡怆然，远处不知谁在哀唱：“过往的君子听我言，听我言……”曲终人散，世上自然平静。

后会无期

【张爱玲语录】男子憧憬着一个女人的身体的时候，就关心到她的灵魂，自己骗自己说是爱上了她的灵魂。唯有占领了她的身体之后，他才能够忘记她的灵魂。也许这是唯一的解脱的方法。

光阴茕茕而立，从来都是如此，不为任何人低眉回首。原以为张爱玲如光阴这般，清醒决绝，可她还是中了爱情的利箭，流血不止。她为这个叫胡兰成的男子低落尘埃里，又在尘埃里开出花来。可惜，这朵花，开在错误的时间，注定结不了美丽的果。

曾经的生死契阔，都成了流水行云。有些路，人间注定只走一遭；有些人，今生注定只爱一次。带着一身伤痕回到上海，张爱玲犹记那日料峭烟雨，只是那个执手风雨的人，已变得模糊不清。她给胡兰成写了信：“那天船将开时，你回岸上去了。我一人雨中撑伞在船舷边，对着滔滔黄浪，伫立涕泣久之。”这个不肯人前落泪的女子，终究还是为爱啼哭。

良辰若水，她的心已是迟暮，再开不出花朵。而他依旧随缘喜乐，和别的女子在月亮底下携手同走，感受在一起的真实，真实到甚至不可以说盟誓。然胡兰成毕竟是逃亡，他的日子，有佳人相伴，忧患亦相随。

一九四六年四月，一日有兵到范秀美所住的门前张望一回，胡兰成知此处不可再躲避。只得从温州再奔诸暨，当晚下船离开。回到斯家，胡兰成和范秀美便不能再那般毫无顾虑地在一起了。他和范秀美的事，斯伯母心里也是明白，只是彼此心照不宣。偏巧范秀美怀孕了，在这里生下孩子自是不能，胡兰成只好借故让她独自去上海就医。

范秀美抵达上海，直接找到青芸。青芸看罢胡兰成写的字条，便已知晓一切，便安排她住了旅馆，随即又带她去找医院，结果需要一百元手术费。范秀美无奈取出了胡兰成写给张爱玲的字条。青芸将范秀美带到了爱丁顿公寓，张爱玲看到字条，自是无言以说。转身回屋，取了一只金镯子，递给青芸：“当掉吧，给范先生做手术。”

张爱玲对胡兰成真个是仁至义尽，离开的这几月，她将自己的稿费都寄给胡兰成。如今就连范秀美的手术费，胡兰成居然还开得了口。张爱玲心已成灰，对他给予的伤害也算是习以为常了。她对这男人，再也没有任何奢望。那个情海浪子，下一站，又将抵达何方，她无从知晓，亦不想知晓。

胡兰成倒是躲在了斯家楼上，开始写他那本漫长的《武汉记》。流年匆匆，转眼就过了八个月。胡兰成的《武汉记》已写了五十万字，而他知道，一直躲在斯家楼上，亦不是长久之计。想来温州检查户口也该过去了，于是还是决定再去温州。他从诸暨出发，取道先去上海，这一次，范秀美没有同行。

爱丁顿公寓。张爱玲看着离别近一载的胡兰成，已如隔世。是夜，二人并膝坐于灯下，再无了往日的情深厚意。看着窗外路灯下匆匆的归人，张爱玲想着这无数个夜，她开着灯，他却没有回。如今回了，却已不是她要等的那个人。胡兰成告知张爱玲他和范秀美的一切事实，她听了已经说不出话。再问她可曾看了《武汉记》，她淡淡一答："看不下去了。"

不是她心冷，而是已然成灰。胡兰成有一种紧迫感，他觉得他与爱玲是两个亲密无间的人，在这样适当的环境，却没有了适当的情感。然他的诸多亏欠与背叛，如何还去要她的宽待？张爱玲唯愿上苍可以让她渡过这段时间之海，忘记爱恨，从此不喜不惧。

这一夜，张爱玲与胡兰成分房就寝。翌日天还未亮，胡兰成去了张爱玲睡的卧房，在床前俯下身去亲她，她从被窝里伸手抱住他，忽然泪流满面，只叫得一声“兰成！”如此绝望的一声，怕是连张爱玲自己都震撼了。胡兰成在《今生今世》里说：“这是人生的掷地亦作金石声。我心里震动，但仍不去想别的。”是他不去想，还是他不敢想，抑或是他早已习惯了自己的云淡风轻，别人的天崩地裂。

胡兰成是心虚的，尽管他这一生被女子恩宠惯了，但他亦怕失去。他和张爱玲都不知道，此次一别，今生再也没有相见。这段倾城之恋，就这样无声无息地告终，城没有倾倒，城内的每个人都安然无恙。到了晌午，胡兰成从外滩上船去了温州。他说得对，长江之水送行舟，从来送胜者亦送败者，送英雄亦送草寇。

不愧是胡兰成，回到温州后，他设法结识了第一名耆刘景晨，在这里安全了。这位刘先生又介绍胡兰成进温州中学教书，他算是彻底躲过雷霆之劫了。胡兰成依旧野心萌动，想着他日还是要去闯荡万千世界的，经过这次浩劫，过往的一切已然荡尽。他需要重新结识新人，又写信给一代鸿儒梁漱溟，与他交流学问。

这期间，他开始了《山河岁月》的书写。而这本书，是张爱玲给他的灵感。写到许多句子，他觉得竟像是张爱玲之笔。他甚至迫不及待地写信告诉张爱玲关于《山河岁月》这本书，告诉她如今他在温州已经脱离险境，开始了阳光如水、润物清净的新生活。

一九四七年六月十日，胡兰成收到了张爱玲的信。拆开只看第一句，他即刻好像青天白日里一声响亮，但他还是心思沉静地看完。张爱玲是这么写的："我已经不喜欢你了。你是早已不喜欢我了的。这次的决心，我是经过一年半的长时间考虑的，彼时唯以小吉故，不欲增加你的困难。你不要来寻我，即或写信来，我亦是不看的了。"

信里说的小吉，是小劫的隐语。张爱玲真是对胡兰成慈悲，只待他灾难退了，安定下来，才来与他决绝。信里张爱玲还附了三十万元给胡兰成。是她新近写的电影剧本，一部《不了情》，一部《太太万岁》所得的稿酬，全部给了胡兰成。胡兰成这几年逃亡，张爱玲未曾间断地给他寄钱，这一次，是最多的一次，也该是最后一次了。

胡兰成看罢信后，也不惊悔，他只觉张爱玲的决绝亦是好的。他知道，她已是真的不能忍受了，才会如此不留余地。过了些日子，胡兰成自知不能再写信给张爱玲，便写了一封信给她的好友炎樱。信里说："爱玲是美貌佳人红灯坐，而你如映在她窗纸上的梅花，我今唯托梅花以陈辞。佛经里有阿修罗，采四天下花，于海酿酒不成，我有时亦如此惊怅自失……"

炎樱自是没有回信，张爱玲下定决心的事，从无更改。这段乱世情缘，在她的生命里彻底终止。而这个叫胡兰成的男人，再也不能于她的心湖泛起一丝波澜，再也不能。此后尽管她和胡兰成还有些许欲断未断的交往，但与这个男人有关的所有记忆，她已彻底删除。

胡兰成依旧不改性情，在辗转流离中，过着他安然自在的日子。先后去了北京，日本。没几年，又跟上海大流氓吴四宝的遗孀佘爱珍结婚。之前的那些孽缘情债，就那样没有交代，一笔勾销。张爱玲与之决绝是做对了，这样的男人实在不值得她再有丝毫的付出。

胡兰成还去过爱丁顿公寓找张爱玲，那时已是人去楼空。后来胡兰成得到张爱玲在美国地址，他将出版的《山河岁月》和《今生今世》寄了出去，附带一封长信，不尽缠绵之语。然而这已是他一相情愿的做法了，张爱玲对他，甚至连厌倦的心都没了。

未免怕他再来打扰，张爱玲寄去了一张短笺："兰成，你的信和书都收到了，非常感谢。我不想写信，请你原谅。我因为实在无法找到你的旧著作参考，所以冒失地向你借，如果使你误会，我是真的觉得抱歉。《今生今世》下卷出版的时候，你若是不感到不快，请寄一本给我。我在这里预先道谢，不另写信了。"

言尽于此，恩情皆断，再说什么，再做什么都是多余了。想来，萎谢的不是张爱玲，而是他们的这段爱情。“爱玲是我的不是我的，也都一样，有她在世上就好。”胡兰成如是说。但转身之后的张爱玲，依旧优雅高贵地活着，活到白发苍颜，不为任何人，为的只有自己。

天涯此去隔山河，情天孽海两离索。道声珍重，后会无期。

第五卷 Chapter·05

倾城后华丽转身

红尘擦肩

【张爱玲语录】是从你起，我才学会了，怎样，爱，认真的……爱到底是好的，虽然吃了苦，以后还是要爱的……

每个人的一生，都与那么一段或几段刻骨难忘的感情，有那么一个或几个携手风雨的人。有一天，流年也许会将这一切都冲淡，而我们拥有的只是自己。回到属于自己的那个岁月山河里，一个人继续徒步天涯，只是我们并不孤单。

当世界开始喧哗的时候，你所能做的，就只是沉默。张爱玲总算是和负心背信的胡兰成诀别了，尽管那段倾城爱恋化作烟尘，但张爱玲的伤却需要一段漫长的时间来修复，甚至一生都无法彻底修复。她不在意这些，只当做是人生的必然。

张爱玲曾说过："普通人的一生，再好也是桃花扇，撞破了头，血溅到扇子上，就这上面略加点染成一枝桃花。"而胡兰成，就是溅上那柄扇子的血了，洇染了她的江山。

胡兰成这几年逃亡，尚且一直有美眷相伴，但张爱玲却因为他，承受了无与伦比的压力。抗战胜利，民众压抑了许久的愤怒，在顷刻间如决堤之水，汹涌爆发。他们要对卖国汉奸进行严厉地声讨，那时的报纸如雪片纷飞，报上对漏网汉奸进行点名，要求政府严惩不贷。张爱玲作为无耻汉奸胡兰成的妾，被无数声浪谩骂。

到了政治问罪于她的时候了，没有人相信她是无辜的。往日张爱玲在上海滩的成就，现在成了无法抹去的污点。这个才情女子没有害人，她唯一的错就是爱错了人。民众的情绪需要宣泄，胡兰成逃跑，留下张爱玲在风口浪尖，独自承受万民的流言。

风华绝代的张爱玲，顿时身败名裂。面对这场骤然的变局，张爱玲只能搁笔沉默。很多人说，属于张爱玲的时代彻底地过去了。的确，一个再好的演员，换了一场不适合她的戏，她也注定做不了主角。

张子静说："抗战胜利后的一年间，我姊姊在上海文坛可说销声匿迹。以前常常向她约稿的刊物，有的关了门，有的怕沾惹文化汉奸的罪名，也不敢再向她约稿。她本来就不多话，关在家里自我沉潜，于她而言并非难以忍受。不过与胡兰成婚姻的不确定，可能是她那段时期最深沉的煎熬。”

张爱玲没有卖国，她如今只是为那场不合时宜的爱，来承担所有的过错。历史的涛浪，会湮没一切，幸与不幸，快乐与不快乐，有一天都会戛然而止。时过境迁，张爱玲后来借《传奇》增订本出版的机会，在序言里，第一次反驳了因胡兰成而给她招来的不良舆论。

“我自己从来没有想到需要辩白。但是一年来常常被议论到，似乎被列为文化汉奸之一，自己也弄得莫名其妙。我所写的文章从未涉及政治，也没有拿过任何津贴……至于还有许多无稽的谩骂，甚而涉及我的私生活，可以辩驳之点本来非常多。而且即使有这种事实，也还牵涉不到我是否有汉奸嫌疑的问题；何况私人的事本来用不着向大众剖白……”胡兰成让张爱玲受了太多的委屈，以前或许她还会觉得难过，觉得不甘，到后来，连难过与不甘的情绪也没有了。这个男人，彻底地让她不屑。

命运给了张爱玲另一种交代，在《倾城之恋》公演后，她认识了生命里一个重要的贵人——导演桑弧。桑弧的出现，让张爱玲在暗夜时，看到了一盏温馨明亮的灯。起先张爱玲对桑弧的邀请，感到有些为难。

虽然她之前的小说频频畅销，但是她从未接触过写电影剧本。但张爱玲亦想让自己从泥淖里走出，重新寻找属于自己的那一米阳光。再者她手头一直拮据，后来她把跟桑弧合作的两部电影稿酬，都给了胡兰成。

张爱玲与桑弧合作的第一部电影是《不了情》，男主角刘琼、女主角陈燕燕都是当红明星，强大的阵容引起了轰动。沉默许久的张爱玲脸上泛出了历尽风霜的笑容。如此收获，让桑弧信心倍增，他又让张爱玲写了《太太万岁》，这部电影的演员都是当时上海滩的红角。该片在上海的皇后、金城、金都、国际四大影院同时上演，连映两个星期，场场爆满。

沉寂一段时日的张爱玲，似乎又找到了那个适合自己修行的道场。只是过尽沧海桑田的她，不再像以往那样锋芒毕露。寂寞的文坛，有时候无法承受太多的掌声与喧哗。所以当张爱玲这两部电影收获掌声和鲜花时，同样也惹来了批判与嘲讽。

千百年来，世道皆是如此，成与败、喜和悲只隔了一道光阴的距离。张爱玲似乎安静了许多，她明知那些读者喜欢她的浓烈，喜欢她的明艳与张扬，可是她疲倦的心需要休憩，需要平宁。

因为几部影片，张爱玲与电影界的朋友有了一些交往。在片子拍摄的过程中，导演桑弧免不了要常去张爱玲的住处，与她交流影片事宜。如此一来，两个人的来往也就密切了许多。桑弧为人忠厚，性格拘谨，他有才华，但不会对女人甜言蜜语。他的人品与良善，远胜过胡兰成，但他风流自是不够。

那时众人觉得桑弧和张爱玲是一对璧人，一个未婚，一个前缘已尽。桑弧是大导演，张爱玲是大作家，两个人若在一起，岂不是天作之合。有热心的朋友向张爱玲说谋，想把桑弧介绍与她。张爱玲听后，并不言语，只是一直摇头。她用沉默的方式拒绝了这段情缘，许多人都不能理解，她为何如此固执坚定。但张爱玲就这样与桑弧错过了，她理智地选择离开，是因为她知道，他们在一起，亦不会幸福。

很多人都想知道，桑弧究竟有没有爱过张爱玲，而张爱玲又是否爱过桑弧。这个像谜一样的话题，在张爱玲《小团圆》出版之后，似乎得到了认证。在《小团圆》中，九莉对燕山说："没有人会像我这样喜欢你的。"张爱玲在小说的最后又写道："但是燕山的事她从来没懊悔过，因为那时候幸亏有他。"

张爱玲是爱桑弧的，而桑弧亦是爱张爱玲的。只是他们相识的机缘不对，所以他们的爱注定无果。张爱玲原本就是一个不轻易说爱的人，胡兰成对她的伤害历历在目。在还没有完全忘记胡兰成的时候，张爱玲不敢重新开始。她才对胡兰成说过，我亦不能够再爱别人，我将只是萎谢的话，又怎能在这么短的时间里，为桑弧轻盈绽放。在感情上，张爱玲虽然敢爱敢恨，但她亦有她的矜持，有她的尺度。

桑弧不是一个勇敢的人，比起胡兰成，他懦弱许多。他把对张爱玲的爱慕深藏于心底，在一起交往的时候，他谈到的也只是影片的话题，而那些与情爱相关的私事，谨慎细微的他不曾提起。朋友的提亲遭到拒绝，桑弧更不敢轻易碰触。他心里明白，张爱玲有伤，她尚未从那段情缘里彻底走出。他的出现只能缓解她的疼痛，却做不了那剂医治好她的良药。

“雨声潺潺，像住在溪边。宁愿天天下雨，以为你是因为下雨不来。”在《小团圆》里，九莉便是张爱玲的化身，这里的你，就是燕山。“过三十岁生日那天，夜里在床上看见阳台上的月光，水泥阑干像倒塌了的石碑横卧在那里，浴在晚唐的蓝色的月光中。一千多年前的月光，但是在她三十年已经太多了，墓碑一样沉重的压在心上。”

张爱玲和桑弧的这段情缘，就这样无疾而终。似乎根本就没有开始，就那样过去了，过去了。但这段插曲，又真实地在张爱玲人生的书卷里留下了一笔。桑弧给予张爱玲的，应该是一生温暖的怀想。他没有伤害，只在她最寂寥之时，轻轻地来过，又淡淡地走了。

后来，桑弧娶了一个圈外女子，彼此相敬如宾。也许这样的生活更适合桑弧，以他的个性，禁不起感情的涛浪。而张爱玲注定不会是一个平凡的女子，她给不起桑弧寻常的烟火幸福。她内心的叛逆与孤冷，不是桑弧所能承受的。这朵尘埃里开出来的花，只适合在远处默默地欣赏。他没有采折的勇气，也缺乏采折的资格。

隔年，张爱玲从上海去了香港。之后，她和桑弧就再也没有见过。直到一九九五年，张爱玲去世，许多人都写文章怀念张爱玲，唯独桑弧一直保持沉默。也许由始至终，他对张爱玲的爱，都是以沉默相待。

因为懂得，所以沉默。桑弧如同张爱玲在海上的一朵浪花，来去如风，转瞬就成了过眼浮云。锦瑟流年，两两相忘。

半生情缘

【张爱玲语录】我们再也回不去了，回不去了。也许爱不是热情，也不是怀念，不过是岁月，年深月久成了生活的一部分。

人说那些民国女子，她们的一生都不如意。命运悲苦的萧红，凄凉遗世的陆小曼，昙花一现的石评梅，黯然收场的苏青。还有许多我们知晓的以及不知晓的名字，她们似乎都不快乐，把花样年华清苦蹉跎。连同张爱玲，亦是如此。如果说芳华是一场赌注，那么她们都是愿赌服输的女子，在璀璨的花事里寂寥而终，不问因果。

有人说过，张爱玲是那种走在人群中，一眼就能辨认的女子。瘦高的身材，被旗袍裹紧的心事，有些孤傲，有些冷落，有些张扬，有些清凉。失去胡兰成，禁受时代的变迁、民众的责备，以及错过桑弧这段若有若无的感情。张爱玲只觉人生更加地萧索了，红尘于她，无有太多滋味。

每一个夜晚，在寂寥孤灯下，陪伴她的，还是文字。而她信仰的，终究也只是文字。只有和文字在一起时，才可以安之若素。这些日子，张爱玲依旧和姑姑相守在一起，她们搬离了爱丁顿公寓，住到重华新村二楼十一号两室一厅的房子。这期间，母亲黄逸梵又从国外回来一次。这个曾经风华正茂的女子，经历几度沧桑，亦抵不过岁月的相摧。

父亲张廷重的生活也今非昔比。他和孙用蕃两个人照样离不了阿芙蓉，靠着变卖房产，典当东西维持那份巨大的开销。房子越住越小，最后落到在几十平米的小屋里栖身。当年那座豪宅，被天翻地覆的历史湮没，只留下一堆尘土，供他们怀想了。

母亲此次归来，和张爱玲还有姑姑住在一起，三个苍凉女子，偎依取暖。只是黄逸梵在上海仅留了两年，又出国了。她早已不习惯上海这个纷乱的环境，她的灵魂在国外找到了清净的归宿，这次离开便再也没有回来。临走前，黄逸梵跟张爱玲有过一番长谈，她建议张爱玲离开上海，去香港。她认为上海的繁芜，不适合张爱玲写作。

母亲走了，万水千山，从此天涯各自安好。张子静在回忆录里写道：“一九三八年，我姊姊逃出了我父亲的家。一九四八年，我母亲离开了中国。她们都没有再回头。”是命运不让她们回头，是时代不让她们回头。她们只能在新的环境下，重新开始新的生活，演绎新的故事。无论是否情愿，是否幸福。

历史翻过那沉重的一页，一切都是新的。百废待兴的上海，涌动了许多热情的人物。夏衍，中国新文化运动的先驱者之一，著名文学、电影、戏剧作家。他当时很关注上海文艺界的现状，柯灵就在此时跟他推荐了张爱玲的小说，夏衍很是欣赏。后来他找来了唐纪常与龚之方，让他们合作办一个格调健康的小报。

唐纪常与龚之方得到夏衍的支持，办了一份《亦报》。他们向张爱玲约稿，得到张爱玲的允许，但是张爱玲有一个要求，就是用笔名发表文章。想来过尽千帆的张爱玲不想再惹是非，胡兰成的事对她造成了太大的伤害，她需要过安稳的日子。笔名是用来抵挡红尘的风雨，一种自我的保护。

张爱玲的笔名叫梁京。她学起章回小说家张恨水的形式，边写边刊登。而她这次写的小说《十八春》是她沉寂以后，一部最受读者喜爱的作品。至今在张爱玲的读者里，许多人独爱《十八春》。《十八春》讲述的是一个上海故事，和张爱玲所处的时代同步。十八春，即故事是从一九四九年倒溯十八年开始写起的。

仅这部小说的名字，就引起读者的好奇。连载几天，就已经开始有读者热情关注了。龚之方很是看好这部《十八春》，几天后就登出预告，道明是名家之作。或许有些深谙张爱玲的读者，已经猜测出梁京就是她。但这些似乎不重要，他们只沉迷在小说的故事情节里，翻读报纸已经成为生活中不可缺少的期待。

《十八春》讲述的，是平民之女顾曼桢与世家子弟沈世钧的刻骨之恋，原本郎才女貌，一对玉人。可命运捉弄，沈世钧因父亲患急病而匆匆赶往南京，而曼桢却被一贯疼惜她的姐姐曼璐加害，陷进设下的可怕的局里，从此开始她漫长苦难的人生。曼璐为锁住丈夫祝鸿才的心，不想他出去寻花问柳，不惜软禁自己如花似玉的妹妹。祝鸿才糟蹋了曼桢的清白，直到她生下孩子为止，这时候，已经物是人非了。

沈世钧面对曼桢突如其来的失踪，万分着急。他从曼璐那里询问曼桢的下落，曼璐欺骗他曼桢已经嫁人，再不会回来。沈世钧在心灰意冷之下娶了一个世家女子，而曼桢自知已是残花败柳，在曼璐死后，忍痛嫁给了祝鸿才。这样百转千回的故事，令人义愤填膺的悲剧，让读者每天追随报纸，恨不能与他们共悲喜。

十八年后，顾曼桢和沈世钧偶遇，两人抱头痛哭。沈世钧希望还可以重新开始，奈何命运早已将他们划分为两个世界的人。十八年，沧海几度桑田。曼桢含泪说："世钧，我们再也回不去了，回不去了。"仅这一句话，令许多读者痛哭流涕，叹息不已。沈世钧回首往事，那种无以复加的遗憾，令他感慨万千。

这部《十八春》，后来张爱玲改名为《半生缘》。一次错过，误了半生情缘。倘若不是十八年后的不期而遇，沈世钧大概一生都无法释怀。而顾曼桢得见从前的恋人，可以诉说前因，道尽衷肠，对她来说，亦是解脱。尽管这个结局让许多读者痛心。只是前尘如梦，走过的岁月，谁又能回头。张爱玲没有让他们像谜一样活到老去，已是慈悲了。

《十八春》一经发表，再次轰动上海滩。小说的描写太过真实，让大众投入其间。他们甚至做出了许多非同寻常的反应，喜怒不定。当时许多文化名流，也追捧这篇小说。桑弧写了一篇赞词隆重推荐给读者，说："梁京不但具有卓越的写作才华，他的写作态度一丝不苟，也是不可多得的。在风格上，他的小说和散文都有他独特的面目……我读梁京新作所写的《十八春》，仿佛觉得他是在变了。我觉得他仍保持原有的明艳的色调。同时，在思想感情上，他也显出比从前沉着而安稳，这是他的可喜进步。"

当时的《亦报》每天都可以收到大量读者的来信，那种盛况甚至超越了张爱玲几年前的成就。唐纪常看到《十八春》的如此硕果，便想着要乘胜追击，急着找张爱玲要下一部连载稿。可张爱玲没有答应，她心里明白，强极则辱。想要在短时间内再写一本超越《十八春》的小说，已是不能。

半年后，张爱玲又写了一部中篇小说《小艾》，在《亦报》上连载。但是随着时势改变，张爱玲的主题和风格亦要随之更改，这对她来说有些为难，所以最后匆匆收笔。她回首自己这几年的沧桑变故，亦觉得心酸难耐。胡兰成已经从她的心里剜去，他所带来的耻辱与悲哀，也成了过往。这么多年的压抑，终于得到释放。可为什么，她无法让自己真正安静，真正开心。

她需要再次转身，华丽又寂寥地转身，这一次，无关他人。她不想再为任何人萎落尘泥，亦不想再为任何人无端绽放。或者说，张爱玲从来不曾为别人低眉。她当初愿为胡兰成卑微，是因为她想要真实地爱一场，用爱来燃烧自己，来成全她的华年。所以，自始至终，张爱玲都是无悔。纵然她为这个男人忍受天大的委屈，她都认了。

在读者眼里，张爱玲的文字是一坛烈酒，品过的人都愿意为之痛饮，醉到七零八落，才肯罢休；是一袭华丽妖娆的旗袍，看过的人都愿意做她裙裾下的草木。所以张爱玲每一时期的作品，都会达到一个极致，都会风靡上海滩。她无法做到无声无息，因为读者喜欢的是那个风华绝代的张爱玲，喜欢她不可一世的傲气与浓墨重彩的表达。倘若张爱玲脱下了旗袍，换了一壶清茶，那么她就不再是读者所喜爱的那个张爱玲了。

她迷惘了，也疲倦了。她觉得自己已经不适合当下这个舞台，尽管她已经成功地拉开了帷幕，可是她演不下去了，她需要提早散场。只是褪去了这袭遮身的旗袍，离开这座熟悉的舞台，洗尽铅华的她，又该去哪里?

华胥一梦

【张爱玲语录】『叮玲玲玲玲玲』摇着铃，每一个『玲』字是冷冷的点，一点一点连成一条虚线，切断时间与空间。

香港，真的是一座热闹而繁华的城，这里有许多绚烂的花和苍绿的草。这座城从古至今都离不开水，似乎任何时候都暗流涌动。这是个给不起诺言的城市，却可以满足许多人卑微又骄傲的愿望。行走在物欲横流的街道，没有人知道你从哪里来，又将到哪里去。你可以肆无忌惮地做梦，也可以若无其事地孤独。

十载春秋，回首悠悠过往，已是沧海桑田。十年前，她从这里匆匆离去，十年后，重返旧地，算不算一种归来？张爱玲选择再次来到香港，不仅是为了逃避上海的风云，也是为了能够在一种熟悉又陌生环境下，重新生活。喧闹的街头，匆匆的脚步和淡漠的表情，是她想要看到的。她知道，这座城市的人在忙碌中自顾不暇，唯有这样，才可以不被惊扰。

许多人不明白，张爱玲在上海已经重新找到了属于她的舞台，为什么还要决绝转身？几年风雨，她受尽屈辱与谴责，好不容易用文字赢取了新的天空，可她却不要那份来之不易的尊荣，独自默默地抛弃一切，选择远赴香港。是她预感到什么了吗？还是她仅仅只是想要离开。

“时代是仓促的，已经在破坏中，还有更大的破坏要来。”这是她多年前的一句话，这句话就像是预言，覆盖了众生的命运。这些年，张爱玲不曾有过安稳，那种紧迫感一直追随左右，让她想要逃离。世海茫茫，她幻想自己会与流云一般，飘散天涯。为了逃避回忆，忘记前尘，她只想出发，开始遥远的旅程。

她选择来到香港，是忆起母亲临别时的话，到香港大学申请复学。也许这只是一个借口，但是这个借口可以让她暂时栖居。她申请出境，持有港大开的证明，去香港的理由是“继续因战事而中断的学业”。走之前，她没有给任何人交代，包括弟弟张子静。并且她和姑姑约定，彼此不通信，不联络。

可见她要遗忘一切的决心，那种遗世的苍凉，成了无法摆脱的宿命。弟弟张子静听到姐姐离去，怅然若失，默默流泪。柯灵以及那些上海文化名流，都是在后来才知道她去了香港，他们对张爱玲的选择，只是感到惋惜。

可张爱玲的离开，是对还是错呢？张爱玲的文字，需要上海这片土地的滋养，离开上海，她的文字就随之黯然失色。失去了华丽的文字，她还是当初的张爱玲吗？也许她的离开是一场错误。但无论结果如何，我们都要尊重她的选择，她的心愿。

但张爱玲的离开亦是明智的。假如她留在上海，无疑到后来又将遭遇“审判”。那些曾经风华绝代的民国才女都被时代摧残，花枝招展的过往成了不可碰触的伤。张爱玲走了，这座城市的荣不属于她，辱也不属于她。她是她自己的，只是自己的。

张爱玲去香港前，还去了一趟杭州西湖。面对潋滟湖光，碧水青山，这个历代文人墨客都钟爱的诗意江南，于她，却没有多少诱惑。似乎她的冷艳与苍凉，与这座柔软的城市格格不入。悠长的苏堤，典雅的亭阁，给她一种无法触摸的清凉与遥远。张爱玲的生活从来都不是温软风月，她属于民国这场浩荡的风烟。所以她必须离开，在喧闹中隐藏她的寂寥，遮盖她的伤痛。

一九五二年，三十二岁的张爱玲，踏上香港这片土地，内心真是百转千回。这样的放逐尽管凄凉，但她相信，这片土地会给她疲倦的灵魂一寸安宁。世事难全，人生处处皆是局。港大的校园，昨天的绿阔千红还在，只是她已容颜更改。

几经周折，张爱玲终于在这年八月，正式于港大注册复读。但此时的张爱玲失去经济来源，为数不多的钱物已经花掉，她开始陷入困窘的生活中。无奈之下，张爱玲只好出去谋职。据说她应炎樱的邀请，去了一趟东京，后来碰壁，又返回香港。而她仓促的离开激怒了校方，学校拒绝她重新就读。

张爱玲是个傲气的女子，她此次来香港，复学也只是一种理由。所以学校对她的抗拒，于她来说已算不得是什么打击。她毅然离开，自己临时找了个住处，开始她的谋职生涯。她曾说过："香港是一个华美的但是悲哀的城。"所以要找到一份如意的工作并不容易。这个求职的过程，让她遭遇了太多的冷眼与淡漠。

但此时的张爱玲，已不再是那个未经世事的小女生。她是一位年轻的女作家，她的作品曾经几度风靡上海滩。也许那份荣耀会被时间淡去，但她骨子里的才华却会生死相随。很快，张爱玲在美国驻香港新闻处找到了一份翻译的工作。她有深厚的国文功底，加之她流利的外语知识，翻译作品对她来说并不是件难事。

张爱玲先后翻译了《老人与海》、《爱默森选集》、《美国七大小说》等作品。对她来说，翻译文字并没有多大兴趣，只是一份简单的工作而已。这期间，张爱玲还写了电影剧本《小儿女》、《南北喜相逢》，文笔风格清淡了许多，却仍不失真味。洗尽铅华的张爱玲，已经害怕世间纷纷攘攘。她要的，不再是华服重彩，而是天然淡妆。

在香港，最令张爱玲欢喜的，并不是这份工作，而是她所结识的两位朋友，即在美新处担任译员的邝文美女士和她的丈夫宋淇。宋淇先生是著名戏剧家宋春舫之子，一九四八年来到香港，先后在“美新处”书刊编辑部、电懋影业公司和邵氏电影公司任职。他钟情于中国古典文学，对《红楼梦》颇有新颖别致的研究。也正因了红楼，张爱玲和他便有了相同的兴趣和默契。

宋淇夫妇在四十年代，生活于上海。所以他们对张爱玲可谓久仰其名，早就是她的热心读者。想不到机缘巧合，让他们邂逅于香港，从此这份情谊相伴终生。关于张爱玲的情感故事，他们都不陌生，谈话间也曾提及过，但是张爱玲却总是无言以对。此后，夫妇二人不再提起她的沧桑过往。

在香港，张爱玲举目无亲，而宋淇夫妇给了她许多帮助。为了让她一个单身女子不受外界太多干扰，夫妇在离家的近处，帮张爱玲租了房子。如此一来，就有了频繁的走动。他们都是性情中人，又同在上海定居过，这给天涯羁旅的张爱玲带来了许多温情。尽管上海给过张爱玲太多的伤，但故乡的月明，却让她深深地怀想。

暂时的安定，让张爱玲又开始有了写作的念头。文字在她心中，始终是无法割舍的情结。所以无论是得意或是失意，她都需要文字来疗饥。这是张爱玲第一次用英文写小说，作品为《秧歌》。写完后，张爱玲并不十分自信，她将初稿给了宋淇夫妇过目之后，才将稿件寄给了美国的出版经纪人。

张爱玲的才华，得到了美新处处长麦卡锡的认可。他觉得张爱玲是文学天才，一个中国人可以将英文小说写到这样好的程度，几乎令人妒忌。这篇《秧歌》后来在美国出版，在读书界得到不错的反响。有书评说："这本动人的书，作者的第一部英文创作。所显示出的熟练英文技巧，使我们生下来就用英文的，也感到羡慕。"

之后，张爱玲把《秧歌》翻译为中文，在香港《今日世界》连载。后在香港出版英文本及中文本，但是销售却十分惨淡。也许是张爱玲写作风格有了太大的转变，喜欢她的读者依旧沉浸在她的《红玫瑰白玫瑰》，还有《倾城之恋》与《十八春》里。他们无法进入张爱玲笔下这种平淡而近自然的境界，又或者说，他们的口味早已被张爱玲喂养得浓郁。来一杯清淡的茶，品起来自然是索然无味。

接着，张爱玲又写了一本《赤地之恋》，同样遭到了冷遇。张爱玲只是想要换一种风格，试图尝试着附庸政治，让读者闻到真实的生活气息。然而她失败了，读者喜欢的依旧是她那些花满枝头的民国题材。奔赴千里，换来的是盛极必衰的结局。其实张爱玲并没有孤注一掷，她只是想跟命运做一次较量，在人生的路途中提前转弯。奈何，一切都不如想象中那么简单，那么称意。

张爱玲在香港待了三年。三年，唯一值得她欣慰的是，结识了宋淇夫妇这样的益友。而这座城给她的滋味，实在一言难尽。如果她继续留在香港，体味这里的百态众生，以她的才情，一定可以再次写出风华惊世的作品。可她的心再也回不到过去，她无法再去迁就这个世界，她需要的是世界的恩宠。

几番流转，人生就是华胥一梦，可惜醒梦太难。原来，众生忘不了的，依旧是上海滩那个旗袍裹身的张爱玲。原来，岁月的巷陌，一直烟火悠悠，她认为的彼岸，没有尽头。

穷尽人海

【张爱玲语录】强调人生飞扬的一面，多少有点超人的气质。超人是生在一个时代里的。而人生安稳的一面则有着永恒的意味。

记忆中，秋天是一个旁若无人的季节。又或者说，再多的人，也抵不过那份清远微凉的况味。这个季节的心情和故事，都被染上淡淡霜华。曾经繁闹的都市，以及幽深的人生，似乎也简静许多，一眼便望到了尽头。

当然，这个季节亦适合别离。那些原本张扬明艳的人，显得有些矜持和沉静。张爱玲选择在秋天离开香港，是因为她不小心丢掉了那个从容的自我。世间尘缘，必定要经历百难千劫，才可以幻化虚空。这个云端之上的女子，就算她甘愿萎落尘埃，我们于她，始终是仰望的姿态。

“克利夫兰”总统号，这是一艘轮船的名字。是它将张爱玲带离香港，驶向美国，只是忘记将她带回来。这艘船，同样载过许多有名的，以及无名的中国人，圆了他们的留洋梦。留洋对张爱玲来说，也曾是一个青涩美好的梦。在她十八岁的那年，她考取了英国伦敦大学，却因为战争而未能如愿。

母亲和姑姑的留洋，曾经在张爱玲的心中，留下了温情而浪漫的记忆。那时候，她甚至觉得国外的风，都是典雅而放达的。在国外，无需循规蹈矩地存在，无需装腔作势地生活。在这里，多了一份随性与散漫，自由和不羁。十年风雨，山高秋远，张爱玲年少时那个浪漫的梦早已不做了。她如今选择漂洋过海，是为了和过往纠缠不清的岁月告别。她曾经说过，要换一种干净利落的活法，她要在蓝天碧海下自由呼吸。

杯中酒已尽，旧事已成尘。船是在旧金山入境的，从此美国照见了她后半生明明灭灭的行踪。直到若干年后，她葬身于这个国。这就是定宿，这个来自上海的女性，这个穿越民国烟雨的才女，最后寂寥地死在异国他乡，只有魂梦归去故里。这一切，都是多年以后的事。如今的张爱玲，只是一个心性散淡的女子，她丢失了自己的国，想到这里安身立命。

在旧金山稍作停留，张爱玲便去了纽约。她并非举目无亲，因为在那里，有一个人在等她，就是她此生最好的朋友——炎樱。炎樱已经移居美国，在纽约做房地产生意，做得如火如荼。她的人生就如同她的性格一样，明丽开朗。人说性情决定命运，一点都不会错。炎樱和张爱玲同在港大学习，后来也同去上海，但是她的人生似乎一直都很顺畅。而张爱玲纵有斐然才情，风靡上海，却始终如飘萍，无根无蒂。

不知道，这两个女子，到底谁活得更真？纽约，世界之都。一座商业金融之城，一座艺术文化之城，给高贵的人以尊荣，给闲逸的人以清风，给卑贱的人以落魄，给忙碌的人以风霜。穿行在摩天大楼之间，感受霓虹幻彩的迷离，的确可以让你忘记自己的前世今生，从此愿做这个城市往返的微尘，不计较悲欢。

这座城市的繁华以及一切，对张爱玲来说都不再是诱惑。她唯一欢喜的，是与好友炎樱重逢。炎樱似乎成了这世上唯一可以信任的人，唯一的依靠。张爱玲在她面前，倾诉了多年来郁积的心事。那时候，她有一种如释重负的快感。随后，她们一起闲逛在纽约的街市、电影院、食品店。这种快乐，如当年在香港和上海一样单纯，一样温馨。

张爱玲此次来纽约，还想见一个人，就是胡适先生。之前她在香港曾寄过那本《秧歌》给胡适。而胡适收到后，给张爱玲回了一封长信，并对《秧歌》做了细致的评论。他欣赏张爱玲的才情，认为她的作品很有文学价值。

据说张爱玲和胡适两个人的家族，还有一些渊源。张爱玲的祖父张佩纶认识胡适的父亲胡传，并且还在其事业受阻时帮助过他。后来张佩纶遭贬，胡传亦知恩图报，还给张佩纶寄去了两百两银子。而且胡适先生还跟张爱玲的母亲和姑姑同桌打过牌，也许是因为这些原因，胡适对张爱玲格外关注。

此时的胡适已经脱离了政坛，来到纽约，开始他寂寥又闲逸的生活。在这里，他深居简出，闭门谢客。屋子的装饰中国味浓郁，他闲时在屋檐下晒太阳，喝茶看书，日子是真的安宁了。张爱玲在忆胡适那篇文里写道："适之先生穿着长袍子。他太太带点安徽口音……态度有点生涩。我想她也许有些地方永远是适之先生的学生，使我立刻想起读到的关于他们是旧式婚姻罕有的幸福的例子。"

在这个遥远的异国，得遇故人，又邂逅胡适先生，他们牵引出张爱玲对故国的淡淡思念。之后，胡适对张爱玲一直很关照，唯恐她寂寞，几次打电话问好。张爱玲在炎樱家住了一段时间，重温大学时那段美好的梦。但张爱玲知道，这样并非长远之计，她此次来美国，是为了重新独立的生活，所以她要过回自己一个人的日子。

后来张爱玲搬去了救世军办的女子宿舍，这里简陋，其实就是救济贫民的地方。尽管炎樱不同意，但张爱玲个性倔强，她决定的事从无改变。女子宿舍的场景，确实有些混乱，有些萧索。在这里，也只是暂时落脚。对张爱玲来说，在这个陌生的城，谁也不认识谁，所以在怎样的环境下生存，她并不在乎。

让张爱玲感动的是，有一天，胡适先生来到这里探望她。张爱玲请他到客厅去坐，里面黑洞洞的，足有个学校礼堂那么大。张爱玲无可奈何地笑，但胡适却直赞这地方好。很明显，这是对张爱玲的宽慰，他懂得一个单身女子在异国他乡的艰辛。这样一个才华横溢的女子，应该过上幸福安稳的生活，而她却可以在如此简陋的地方安之若素。胡适对张爱玲，不仅是怜惜，还有许多的钦佩和欣赏。

张爱玲在忆胡适那篇文里，细致地描写了一段送别的场景，读后令人感动不已，意味深长。“我送到大门外，在台阶上站着说话。天冷，风大，隔着条街从赫贞江上吹来。适之先生望着街口露出的一角空濛的灰色河面，河上有雾，不知道怎么笑眯眯的老是望着，看怔住了。他围巾裹得严严的，脖子缩在半旧的黑大衣里，厚实的肩背，头脸相当大，整个凝成一座古铜半身像。我忽然一阵凛然，想着：原来是真像人家说的那样。而我向来相信凡是偶像都有‘粘土脚’，否则就站不住，不可信。我出来没穿大衣，里面暖气太热，只穿着件大挖领的夏衣，倒也一点都不冷，站久了只觉得风飕飕的。我也跟着向河上望过去微笑着，可是仿佛有一阵悲风，隔着十万八千里从时代的深处吹出来，吹得眼睛都睁不开。那是我最后一次看见适之先生。”

这个背影，给了张爱玲一种同是天涯沦落人之感，也刻在她的脑海里，永生难忘。只是她没有哭，而是倔强地微笑。她真的好孤独，因为回去之后，她又将面对那些落魄陌生的脸孔，和她们一起，接受这个城市的恩惠和救济。可是她从来不觉得，这样有失尊严。她不过是一个为了自由流离远方的女子，涉水而歌，不畏冰冷。

此次离别，张爱玲几年没跟胡适通消息。后来通过一封信，又隔了好些时日，就听到了有关胡适的噩耗。胡适先生是于一九六二年，在宴会上演讲后突然逝世。张爱玲说他是无疾而终，有福之人。以胡适先生的为人，也是应当的。

终难忘，这个陌生的都市，这场寒冷中温暖的相逢。此时的张爱玲，渐渐褪去了华丽，成了一个沉静迷惘的观者。在这个人声鼎沸、高贵典雅的城，她充当了一个卑微冷落的角色。没有人认识她，纵有绝世之才，风流之姿，也只能演一场独角戏。她就像陡峭山崖的一株云松，像浩瀚银河里的一颗星子，将坚韧和璀璨藏于心底。

救世军办的女子宿舍终究不是长住之处，张爱玲有种一叶落而知天下秋的感觉。出于无奈，张爱玲向位于新罕布什尔州的麦克道威尔文艺营求助，一九五六年二月十三日，她正式提出了申请："亲爱的先生/夫人：我是一个来自香港的作家，根据一九五三年颁发的难民法令，移居来此。我在去年十月份来到这个国家。除了写作所得之外别无其他收入来源。目前的经济压力逼使我向文艺营申请免费栖身，俾能让我完成已经动手在写的小说。我不揣冒昧，要求从三月十三日到六月三十日期间允许我居住在文艺营，希望在冬季结束的五月十五日之后能继续留在贵营。张爱玲敬启。"

这就是张爱玲，仿佛任何一个凡人，都无法追随她的步履。她可以端然于水上，亦可以俯身于尘埃。这个出身贵族的富家小姐，如今只要求一间可以遮风挡雪的木屋。也许许多人看到这段文字，会为她流下伤感的泪。然而她自是不屑的，哪怕人生只剩下一种颜色，她依旧可以在百媚千红的花丛中翩然独立，风姿万种。

她走了，在那个大雪纷飞的季节，独自离去。她知道，过尽人海，也找不到现世安稳，她宁愿这样单薄地走下去。花儿谢了，连心也埋。他日春燕归来，身何在。

执子之手

【**张爱玲语录**】他们把彼此看得透明透亮，仅仅是一刹那的彻底的谅解，然而这一刹那够他们在一起和谐地活个十年八年。

一念花开，一念花落。这山长水远的人世，终究还是要自己走下去。人在旅途，要不断地自我救赎。不是你倦了，就会有温暖的巢穴；不是你渴了，就会有潺潺的山泉；不是你冷了，就会有红泥小火炉。每个人的内心，都有几处不为人知的暗伤，等待时光去将之复原。

张爱玲在落魄之时，曾寻找救助，这看似卑微的选择，却丝毫不影响她的高贵。她发出去的申请，很快就得到文艺营的回复——愿意接纳她。此时的张爱玲就像是一叶孤舟，在茫茫江岸，找到了一个可以暂时停泊的渡口。一九五六年三月中旬，张爱玲坐上了从纽约到波士顿的火车，又转乘巴士抵达风景秀美的新罕布什尔，进入彼得堡镇。这个漫长的迁徙，对张爱玲来说，尽管颠沛，心里却总算有个着落。

忆起《上海往事》这部电视剧，刘若英扮演的张爱玲，拎一只简单的皮箱，在雪地里踽踽独行。一袭风衣，神情冷淡，她的世界已经静默无声，而我们却偏生要为她落泪。她依旧穿旗袍，只是不再有华美的粉饰，繁复的牡丹换成了简约的素花。我们看到的是一个转身的张爱玲，昨日似雪繁花，早已一别千度。她剩的，只是这份寡淡与微凉。

抵达麦克道威尔文艺营时，天色已晚，柔和的灯光从房舍的窗子里流泻而出。张爱玲感受到一种久违的温暖，一种静谧柔美的暖。这座美丽的欧洲庄园，有几十所独立的艺术家工作室，有图书馆、宿舍以及供社交用的大厅。这些房舍，或建于草坪，或建于森林，环境优雅，安静舒适。

据说创建人是一位作曲家的遗孀，她的善举使得世界上许多飘零的艺人，有了一处安身的居所。是这里收容了张爱玲，让她漂泊的魂有了归依。一间木屋，一间工作室，简洁却温馨。山里的气候十分寒冷，积雪不断，但这里却远离尘嚣，适合创作。

一盆炉火，一杯咖啡，一个倦怠慵懒的灵魂。张爱玲收拾好零散的心情，打算重新在文字中找回自我。她的创作计划是写一本英文小说，书名为《粉泪》（《Pink Tears》），就是后来出版的《怨女》。这部作品是《金锁记》的拓展本，当年《金锁记》风靡上海滩，将她推上一个极致。张爱玲有信心将这个故事重新改编，让淹没在光阴里的华丽过往重现人间。

这是个宁静的庄园，有固定的用餐时间，也可以随意和朋友交流。那时候的张爱玲很沉默，她习惯独自在木屋的轩窗下，安静写作。疲累时，看窗外寂静而空明的山林，看欢快游走的动物，张爱玲找到了一种返璞归真的安宁。夜凉如水，一轮朗月，挂在树梢，淡淡的清辉，令她想起了童年时天津旧屋的模样。不知上海滩的月亮，是否依旧沉浸在孽海红尘，自得其乐。只是曾经相伴在一起的人，已经生死茫茫，无从寻找。

民国才女张爱玲的感情世界，注定不会那么简单。哪怕此时的她远避纷繁，命运同样可以给她一份不寻常的安排。不是她哗众取宠，不是她惊世骇俗，不是她寂寞难耐，而是月老牵错了红线，是宿命太不解风情。张爱玲居然在这里，遇上了她生命里第三个男子，一个年过花甲的美国老人赖雅。如果说胡兰成是张爱玲的刻骨铭心，桑弧是张爱玲的过眼烟云，那么赖雅应该是她的沧海桑田。

赖雅，德国移民后裔，他在年轻时就被视为文学天才。其人个性洒脱，知识渊博，处事豪放。结过一次婚，有一个女儿。但生性奔放自由的他，不适应婚姻的束缚，之后离了婚。从此他的生活更加散漫随性，周游列国，卖字为生。

赖雅极具文学天赋，却无法将文字演绎到登峰造极的境界。尤其过了花甲之龄的他，身体和才华，以及经济、运数等各方面都走下坡路，甚至摔断腿，几度中风。他来到麦克道威尔文艺营，是希望在年华老去时还可以重振文学雄风，却不料，命运给了他一个意外的恩赐。让他在晚年时，有幸得识中国奇才女子张爱玲，之后她一直陪伴他度尽余生。

邂逅之时，张爱玲三十六岁，可谓风华正茂。赖雅六十五岁，当为风烛残年。也许很多人都不明白，高贵美丽的张爱玲，为什么会要一个这样穷病潦倒的外国老头，他究竟有什么地方值得她如此欣赏，如此付出。孤傲的张爱玲，绝不会因为寂寞，而轻易地将自己交付给一个男人。更况她深受过感情的伤害，更况她曾说过，今生亦不能够再爱别人的话语。年轻多才的导演桑弧她都不肯要，为何偏偏选上一无所有的赖雅?

但他们就是在那些暴风雪中的日子，在银装素裹的山林，温暖了彼此。这个白发老人，总是一身白衣白裤，颇具绅士风度。他的高谈阔论、风趣幽默，感染了这位沉默寡言的中国女子。于是，他们开始有了交往，聚在一起谈文化，谈人生，谈阅历，越谈越投缘。赖雅是个有童心的人，他跟张爱玲讲述他这些年所经历的奇闻轶事，总是令她无比陶醉，欢乐不已。

她有多久没有这样开怀一笑了，她自己亦不知道。自从离开上海，她就是无根飘萍，过着居无定所的生活。她是真的寂寞，但她不是一个随意找人倾诉，随意偎依就可以取暖的女子。她需要灵魂的交融，需要真诚地执手。

赖雅是一个有智慧、有涵养的人，是一个童心未泯的温厚长者。他丰沛的思想，就是最大的财富。而这些成了打动张爱玲的优势。这个行将萎谢的女子，愿意为他再次绽放。也许不再倾城，不再绝代，但是她亦无悔。

他们在一起了，在那个温暖的小木屋，相互偎依取暖。没有人愿意去猜测，他们之间是否真的有了爱情。张爱玲说过：“爱情使人忘记时间，时间也使人忘记爱情。”或许此时的张爱玲早已忘记凡尘一切，她只是一个孤单的女人，需要一个懂得的男子。她无需给任何人交代，她只做自己。她亦愿意为所做的一切，勇敢承担。

有人说，张爱玲为自己朦胧的未来心中无数而感到焦虑。面临多方面的窘迫，她选择了赖雅做依靠。真的是这样吗？像她这样傲气的女子，又如何会让自己沦落到这般境地。就算她想要寻找一个坚实的依靠，亦无需选定赖雅。

以赖雅如今的年岁，以及各方面的状况，都无法给张爱玲真正的安稳。之后张爱玲与赖雅相濡以沫十一年，全凭她一直为生计奔波，对他悉心照料。可以说，赖雅何其有幸，在惨淡余生，有一个张爱玲相伴。而张爱玲尽管为这段感情付出无数艰辛，但是她的心却不空虚。这种清苦的幸福，比起胡兰成华丽的伤害，要温柔许多。

“我们很接近，一句话还没说完，已经觉得多余。”这是张爱玲的话，她和赖雅是默契的，正是因为这份默契，让他们走到一起。一个曾经繁复的人，到后来，只愿意简静度日。她再也要不起繁花满枝的爱情，那个曾经许诺她现世安稳的男人早已跑了。如今这个老人，却给得起他平淡的真实。

其实，张爱玲之前只想过简单的偎依，并没有打算跟赖雅结婚。而一直四海为家，过惯了单身生活的赖雅，也没想过要为某个女子停留。所以当赖雅在文艺营的期限到了，也就只好离开。走的时候，他给不起任何诺言，张爱玲却在送他之时，把仅有的一点儿钱给了他。赖雅去了纽约北部另一个文艺营入住，依旧过着浪子生涯。

分别之时他们并不曾想到会再见。因为两朵浮萍，在流水光阴里，谁知道几时能够再遇合。可是命定他们要在一起，张爱玲惊奇地发现自己怀孕了。她把这个消息写信告知赖雅，赖雅激动万分，又踌躇不已。以他现在的处境，实在无力承担闯下的祸，可他觉得自己必须要负起责任。而张爱玲是一个美好可爱的女子，于是他写信跟她求婚。

张爱玲再次收拾行囊踏上征途，此次与她同行的，还有她腹中的胎儿。他们去奔赴一个自身难保的男人，尽管赖雅愿意负责任，只是这个责任他负得起吗？炎凉世态下，就连渔樵耕读，坐看云起的日子，都不能平静拥有。无论前方多少迷惘，张爱玲只能沿着这狭长的年月走下去。去一个有他的地方，和他冷暖与共。

故乡月明

【张爱玲语录】女人……女人一辈子讲的是男人，念的是男人，怨的是男人，永远永远。

幸福到底是什么？是蓦然回首，那人已在阑珊灯火处；是寻常巷陌，转角处不期的相逢；是征程万里，时光渡口的风雨归来。这看似简单的企盼，却总是要经过万水千山，方能圆满。世事叵测，朝暮无常，只是我们都应该相信，有一天会殊途同归。

此时的张爱玲和赖雅，就是行走在两条路径的人，但是他们因为因缘际遇，要厮守在一起。赖雅提前去火车站等候他未过门的新娘，想必那时的心情激动又凌乱吧。而张爱玲亦是如此，她的心情落落不可言说。她不敢怠慢生命里的第二次婚姻，更不敢在这个时候相忘天涯。

赖雅找了间旅馆把张爱玲安顿好，之后他正式向张爱玲求婚。张爱玲不假思索地答应了，尽管赖雅求婚时提了一个要求，他的要求是不要孩子。张爱玲亦同意不要孩子，她甚至比赖雅更坚定。也许很多人不明白，如果是为了孩子，两个人结婚倒是不难理解。但如今他们决定不要孩子，又为何还要那一纸婚约呢？

张爱玲曾经和胡兰成亦有过一纸婚约，他许诺的岁月静好，现世安稳早已散作烟尘。是的，赖雅和胡兰成不同，他真诚良善，不像胡兰成那样寡情薄义。但他同样是一位浪荡子，早已习惯了自由散漫的生活，他又拿什么来给张爱玲安稳？如若只是为了爱情，或只是为了相互取暖，倒不如不要婚姻的束缚，只在彼此需要时淡然相守。有朝一日，厌倦了，还可以随性放逐。

但他们结婚了，无论是否幸福，他们都决定在一起。一九五六年八月，赖雅和张爱玲举行了简单的婚礼。婚礼结束后，两人携手游遍了纽约，只当做是一次蜜月旅行。当张爱玲把这消息通知远在伦敦的母亲，黄逸梵深感高兴。在她看来，这位年长张爱玲三十岁的女婿，尽管配不上她女儿，但是爱玲总算有个依靠，不至于孤独伶仃。只是这位一生漂泊的母亲，就在张爱玲结婚后的第二年病逝于英国。不知道，她闭上眼的那一刻，是否红尘梦醒？

婚后两个月，赖雅再次中风，并接近死亡。最后算是挺过来了，可江郎才尽的他，越来越依靠张爱玲。他们依旧居无定所，靠张爱玲卖字为生。日子有多么窘迫，可想而知了。以至于后来许多人为张爱玲心痛不已，觉得她不该嫁给赖雅，为他整整拖累十年大好光阴。更多的人指责赖雅，尤其是夏志清先生，他认为赖雅是个自私专横的男人，实在有负于张爱玲。

或许这就是张爱玲不可逃脱的情劫吧，当年她为胡兰成芳华落尽，如今又要为赖雅艰辛耕耘。她是一个女人，却一生未享受过女人该拥有的幸福。和赖雅成婚后，张爱玲所有的时间除了写作挣钱，就是照顾赖雅的身体。他们常常为夜宿何处悲哀，甚至为一顿饭钱发愁。唯一的安慰就是彼此在一起，只是初见时那种相见恨晚的惊喜，已经被岁月消磨得荡然无存了。

几年的努力，张爱玲的作品总算有些起色，但她似乎再也回不到当年上海滩的辉煌了。在文字那深沉而博大的海洋里，你不经意地邂逅，会有意想不到的收获。你刻意去寻找，反而会徒劳无果。张爱玲知道得失随缘，可是日子是一食一宿，缺一不可。如果只是单纯的衣食，或许还可以支撑下去，但是赖雅时不时地发病，令张爱玲无法不忧心。

终于，在结婚五年后，张爱玲有了去港台发展的打算。此时的张爱玲和赖雅初到旧金山不久，生活稍安定，但写作前景依旧迷茫。她不能如此坐等光阴消磨，所以她必须离开。这个打算，对赖雅来说，自然是震惊。张爱玲一走，病体支离的他，该有谁来照料？尽管张爱玲留有钱给他，还将赖雅托付给他女儿霏丝关照，但赖雅依旧感受到那种被抛弃的绝望。

张爱玲决定的事从来不会改变，但是她的人品不容许任何人质疑。她走了，从美国飞去台北。赖雅看着她的背影一度认为，这个孤傲倔强的东方女人，再也不会回来。张爱玲顾不了他的感受，她此次回到阔别六年的故土，不仅是为了自己，亦是为了他。

台北，这个陌生岛屿，却分明不陌生。拂面而来的风，让她感受到祖国久违的清新与暖意。接待她的是之前在香港新闻处工作的上司麦卡锡，如今他已是美国驻台北领事馆文化专员。他将张爱玲接到他豪华的大别墅住下，香车宝马，仆从如云。张爱玲已经多年没有享受过这样奢华的生活了。那个夜晚，遥望窗外的明月，恍如梦中。

岁月淘洗，让张爱玲的作品在台湾受到许多读者的瞩目。一些台大年轻的作家们，敬张爱玲为神。麦卡锡为张爱玲接风洗尘，在台北国际戏院对面的大东园酒楼设宴。陪客有白先勇、王文兴、欧阳子、陈若曦、王祯和、戴天、殷张兰熙等，他们大都是台大学生中的“文青”，当时正在办《现代文学》杂志。

这些人从未见过张爱玲，所以在见到她之前，大家在猜测张爱玲的容貌。陈若曦问白先勇："你想她是胖还是瘦？"白先勇不假思索道："她准是又细又瘦的。"不多久张爱玲出现了，她清瘦孤绝，皮肤雪白，素净的旗袍，显得非常年轻。陈若曦在《张爱玲一瞥》曾经这么写过："浑身焕发着一种特殊的神采，一种遥远的又熟悉的韵味，大概就是三十年代所特有的吧……"

是的，她就是那个从民国烟雨里走来的女子，有着任何人都无法取代的韵味。她语调很轻、很慢，甚至有些敏感、羞涩。白先勇记得，他坐在张爱玲身边，以为她会有上海口音，却不知她说的是带有浅浅京腔的普通话。

她似乎跟王祯和谈得更投机，她对王祯和说："看过你的《鬼·北风·人》，真喜欢你写的老房子，读的时候感觉就好像自己住在里边一样。"王祯和听后十分欣喜，当即就邀请张爱玲去他花莲的老家住几日，体验老房子。

张爱玲亦答应，饭后，她让陈若曦陪她上街去买一块衣料，打算送给王祯和的母亲做见面礼。离开宴席的张爱玲健谈了许多，她们谈论女性的话题，有关旗袍、发髻等。陈若曦后来说："这真是我见到的最可爱的女人，虽然同我以前想象的不一样，却丝毫不曾令我失望。"

张爱玲在花莲住了一个星期，当地的风土人情令她深刻难忘。而王祯和对张爱玲，亦有一种无法言说的情结，每次回忆起来，心底总会荡漾微微的波澜。他说："她那时模样年轻，人又轻盈，在外人眼里，我们倒像一对小情人，在花莲人眼里，她是'时髦女孩'。因此我们走到哪里，就特别引人注意。我那时刚读大二上学期，邻居这样看，自己好像已经是个'小大人'，第一次有'女朋友'的感觉，喜滋滋的。"

王祯和陪同张爱玲游玩了花莲的许多景点，此时她忘记了这几年的羁绊生涯，沉浸在这个明媚泛着古风的地方。她年轻美丽，神色清爽。这次离别之后，王祯和和张爱玲也一直有信件往来。但是数年后，王祯和去美国，想见张爱玲一面，却被她拒绝。晚年的张爱玲离群索居，闭门谢客，她不愿再和过去的人与事有任何的纠缠。王祯和认为，张爱玲拒绝相见是对的，因为在他的记忆里，她永远都是那样年轻美丽。

倘若中途没有赖雅在美国中风的消息，张爱玲此次台湾之旅，应该是明丽欢快的。但他突如其来的发病，令张爱玲稍微舒展的心情，又开始千缠百绕。她听到消息时，想着立即飞回美国，但思量一番，还是决定放弃。不是她心冷，那时张爱玲身上的钱，连一张机票都不够买。就算她可以找朋友借，但是回去之后呢，她将同样走至山穷水尽的境地。

此次回国的目的，是为了寻找机遇挣钱，改善一直以来的困窘。如今才到台北，尚无所获就仓促回去，岂不白费心机？无可奈何的张爱玲只能割舍对赖雅的挂念，决意飞至香港，寻找老朋友宋淇，希望在他那里找到合作的机会。之前张爱玲应宋淇之邀为香港电懋电影公司编过《情场如战场》、《桃花运》、《人才两得》等剧本。虽说没有卓越的成就，却也收获颇丰。

极目云天，飞鸿尚有归处，奈何这位民国才女却凄凉无依。倘若只是一个人，只需一间屋，每日粗茶淡饭足矣。为何她要贪恋这世间奢靡情事，为一个风烛残年的男子如此坚定决绝地付出。夜阑静，暮云收，惆怅心事，与谁言说？

第六卷
Chapter · 06

今生只作最后一世

山穷水尽

【张爱玲语录】清坚决绝的宇宙观，不论是政治上的还是哲学上的，总未免使人嫌烦。人生的所谓『生趣』全在那些不相干的事。

倘若未曾见过这座城，定无法感知这种瞬息万变的动荡。原以为只是苍茫簇拥的人海，是浩瀚星辰的璀璨，是街市烂漫的花红。但当你真正来到，或是再度走进的时候，才发觉，这座像烟火一样的城，其实是那样深邃静谧，那么孤独无依。

张爱玲来到阔别六年的香港，这座城已在万象纷纭中，渐渐失去本真。也许她不该苛刻太多，改变的又岂止是一座城，连同她自己，也早已不再是那个青涩纯净的少女。重回这座城，不仅是为了付出，亦是为了索取。张爱玲的心是黯然的，她期待这座城，可以给她一缕和暖的阳光。让流年，不至于相摧太紧。

接待张爱玲的是老朋友宋淇，这次宋淇请张爱玲创作《红楼梦》上下集电影剧本。稿酬答应支付两千美元，这对张爱玲来说无疑是一笔心动的数目。更况《红楼梦》是她今生最爱，这些年也写过许多剧本，但《红楼梦》却一直是可望不可即。

张爱玲整理好零乱的心情，在宋淇家附近的旅馆租了个小房间，开始投入到电影剧本的创作中。她此次创作不仅是为了个人的喜好，更重要的目的是挣取那笔稿酬。因为她的生命里多了一个需要照料的丈夫，生活是这样地真实，不容许你再有丝毫的阳春白雪。

每天工作十多个小时，令张爱玲感到前所未有的疲累。她的眼膜出血，双腿浮肿，腰身疼痛，曾经认为愉悦的写作如今无疑成了煎熬。写作原本就是一件优雅舒适的事，需要安静的空间，清宁的氛围，美好的心境，当这些不存在的时候，写作就成了一种责任和负担。张爱玲算是深受其累，她觉得自己如同陶潜，为五斗米深深折腰。

这段时间她不断给赖雅写信，安慰他的情绪。病愈后的赖雅打算定居华盛顿，在女儿霏丝家附近找了一座甚为满意的公寓，安定下来。在这个孤独老人的心里，他对张爱玲决绝离开有些怪怨，但他不会不明白，她如今倾心的付出，纯粹只是为了生存。他甚至没有把握她会回来，这段婚姻给了他余生的依靠，同样也给他内心带来无以言说的惭愧和遗憾。

张爱玲总算完成了《红楼梦》上下两集剧本，当她如释重负地把剧本交给宋淇的时候，他却说不能做主，要给老板看过后才能定稿。于是等待又成了一种煎熬，宋淇怕浪费她的时间，于是又安排了《南北一家亲》这部剧本给她写。张爱玲为了多挣几百美金，只好继续留在香港，那段时间，她感到生活给她带来莫大的屈辱。

赖雅对她的逗留不予理解，他以为她在逃避。而张爱玲写过一封信给赖雅，字字句句，无比辛酸。她说自己工作了几个月，累得像只狗一样，却没有拿到一分酬劳。《红楼梦》的剧本还需要边修边等，她的心已经冷若冰霜。此时的张爱玲，轻贱如蝼蚁。像她这样一位绝代才女，竟为几百美金如此卑屈，实在令人痛心。假如生命只剩下这些，那么活着真的已然没有乐趣。但众生皆苦，所以张爱玲在那么年轻的时候，会说出“因为懂得，所以慈悲”的话语。

因为懂得，所以慈悲。谁来做那个真正懂得的知心人？山穷水尽的张爱玲，只能问老友宋淇夫妇借钱。也许是因为她生性敏感，也许是她过于深刻的通晓人情世态，总之这一次借钱让她的心被深深刺伤。他跟赖雅写信，其中有一句话是："他们不再是我的朋友了。"如此坚定的话语，又怎能随意脱口而出?

张爱玲怨恨的也许不是宋淇夫妇借钱的态度，她耿耿于怀的，必定是迟迟不能定稿的《红楼梦》剧本。几个月的辛苦耕耘，一无所获，她的心情可想而知。但与她合作的是电懋电影公司，宋淇作为一个中间人，亦有他的难处。但焦虑的张爱玲已经不能静下心来思考这么多，她想的只是自己的劳动所得。

一九六二年三月，张爱玲带着愤慨与遗憾飞离香港，此后三十多年，她再也没有回到中国这片土地。走的时候，她没有再看一眼这座城，那一簇绚丽的花红。是故土辜负了她吗？还是她觉得，此生多走一段路途，就是多一份负累。美国就是她的彼岸，无论会不会开花。美国就是她的尽头，无论是不是归宿。她留下来了，不打算再踱步。尽管，她依旧不如意；尽管，她把冷暖独尝。

然而张爱玲说"他们不再是我的朋友了"也只是一时气话。她离开香港后，一直和宋淇夫妇保持联系，她和电懋电影公司的合作也是到一九六四年才中断，原因是电懋老板在空难中丧生。而这几年中张爱玲的稿酬，亦多半是这里支付。之后宋淇对张爱玲的关照不曾间断。一九六五年，他和台湾皇冠出版社的平鑫涛一见如故，极力向他推荐了张爱玲。

张爱玲在人生步入尾声的时候，将所有的遗产都交给宋淇夫妇。这份伴随终身的友谊令人感动。张爱玲这一生言爱的不多，交往的不多，可以值得她真心相待的，必有过人之处。尽管她也会犯错，会迷失，比如她人生的几段爱情，但这些都是她生命里必须充当的角色。

回到美国华盛顿的张爱玲，并没有摆脱磨难。尽管她刚下飞机，看到康复后的赖雅在机场等待，有种沧桑归来的甜蜜与酸楚。然而回去之后，温情的时候太少，繁琐不安的时候却是那么多。这时的赖雅已经彻底地退出文字的舞台，如今的他，只是一个体弱多病的老者。他停止了放荡不羁的漂泊，放下了层云万里的梦想，以及那份惺惺相惜的爱情。这一切，不是他本意，可是当一个人老到连自己都照料不好时，哪里还有力气再去争执什么，计较什么，付出什么。

后来，赖雅摔了一跤，摔断了股骨头，他的行动更加不方便。紧接着，他又频繁中风好几次，最后瘫痪在床，饮食起居全凭张爱玲照料。这个倔傲的典雅的东方女子，自从嫁给这位多病的老头后，就如同背上一个无法放弃的包袱。她原本沉重的人生，如今更加地沉重。

当年在雪夜里围炉烤火，闲话人生的日子，宛若一场春秋大梦，消逝太快。这个男人只给她短暂的欢愉，但她仍旧对自己的抉择无悔。如果说胡兰成让她萎谢，让她痛哭流涕，那么赖雅则让她寂灭，让她欲哭无泪。

那些日子像结了霜，张爱玲带着垂死的赖雅，为了生计到处奔波。他们没有属于自己的归宿，那通明的万家灯火，没有一盏是为他们点亮的。每到一个屋檐，都希望是永远的归家，但他们注定漂泊。那时的赖雅已经瘦得只有一把骨头，他再也不能穿一袭白衣白裤装扮绅士风度，再也不能和天南地北的文友聚在一起高谈阔论，而他对张爱玲讲述的过往传说，已经成了老掉牙的故事。张爱玲曾经为之笑意盎然，如今只剩下浅淡叹息。

终于明白，光阴会将一切消磨殆尽。最怕流光催人老，老到不能动弹之时，连回忆都是悲哀的。无法想象倘若赖雅没有张爱玲，他的余生会在怎样悲苦的环境下度过。或许这是他的因果，是她前世所欠。如《红楼梦》里黛玉那还泪一说，还清了神瑛侍者的灌溉之恩就会离去。赖雅终于讨完了他在人间的债，于一个寂寥无声的日子，在张爱玲一个人的陪伴下，安静地去了天国。

或许是他前半生的日子太过繁复，所以他死后一切都简约。没有举行葬礼，女儿霏丝安葬了他的骨灰，不知道张爱玲有没有为他掉下最后一颗眼泪。死的这一年，赖雅七十六，张爱玲四十七。十一年的扶持相伴，十一年的风雨沧桑。每一个日子都真实刻骨，只是张爱玲从来没有得到过她要的现世安稳。

日子你可以精打细算，那么一分一秒都在意料之中。日子也可以从容以待，那么时光匆匆，那份仓促令你无从追赶。对于一个四十七岁，才情横溢的女子，尽管已近迟暮，但她仍旧可以再次盛放。而张爱玲说："我有时觉得，我是一座孤岛。"

赖雅的死让张爱玲的心再次成为孤岛，又或者说，让张爱玲得以放下尘世的所有包袱。她可以在自己的孤岛里，随心所欲地漂浪，可以重回寂寞的内心，做回真实骄傲的自己。

日影如飞

【张爱玲语录】对于三十岁以后的人来说，十年八年不过是指缝间的事。而对于年轻人而言，三年五年就可以是一生一世。

“时间加速越来越快，繁弦急管转入急管哀弦，急景凋年已经遥遥在望。”这是张爱玲说的话，她的人生最后的几十年，就在光影的促催中仓皇度过。她似乎可以巧妙地占卜自己的人生，在年轻的时候，就能够预知将来的一切。其实这世上最欣赏最懂得她的人，终究还是胡兰成，因为只有他说过，她是民国世界的临水照花人。她无需知晓世事，这个时代的一切自会来与她交涉。

赖雅走后的岁月，张爱玲没有度日如年，反而是光阴如飞。也许女子到了这个年龄，已经不需要一个替她画眉的男子。所以没有爱情的日子，已经不再缺憾。那时的世界并不太平，无论是欧洲、美国，还是中国，都风烟浩荡，喧闹无比。而张爱玲，却避开这一切，走入自己的灵魂。掩上心门，从此不问外界车轮滚滚，人海弥漫。

时光倒回至前一年，一九六六年。因为一个叫平鑫涛的人，张爱玲的命运被重新安排。这个人，她一生都没有见过，却让她沉寂了多年的作品找到了舞台。平鑫涛，这是一个大家都熟悉的名字，他是台湾《皇冠》杂志的负责人，亦是著名女作家琼瑶的丈夫，同时还是当年中央书局老板平襟亚的侄子。

由于夏志清文章的影响，张爱玲的名气在台湾读者中已掀起一波热潮。当平鑫涛从宋淇那里听到张爱玲这个名字时，觉得又亲切又高兴，可以为她出版作品，真是荣幸至极。而张爱玲听到可以跟皇冠合作的消息，甚为惊喜。那时她所有的时间都在照料赖雅，就连合同都是夏志清代签的。

从签约开始，张爱玲在皇冠出版的第一部作品《怨女》，在那座岛屿泛起微微波澜，直至掀起几十年肆意汪洋的涛浪。可以说，是平鑫涛为张爱玲重新创作了传奇。她晚年的传奇，就是从一九六六年开始，直至走向生命的最后。这个过程很漫长，数十载真切的光阴。这个过程亦很短暂，不过几度花开花落。

《怨女》出版后不久，皇冠趁势扬帆，之后接连出版《秧歌》、《张爱玲短篇小说集》、《流言》、《半生缘》等。张爱玲就这样，在台湾找到了属于她的那片天空，尽管她人在美国，却用文字执掌风云。当年上海滩的盛况，在台湾重现。这个曾经穿着华美旗袍，行走在霓虹灯下的佳人，如今已不再年轻。但她文字不但不会老去，甚至经过流年的修复，世事的装饰，更加地尽善尽美。

曾经孤高傲世的张爱玲，经历了一段为生存而写作的艰辛岁月，她对平鑫涛的慧眼独具深为感激。她后来在给夏志清的信上说："我一向对出版人唯一的要求是商业道德，这些年来皇冠每半年版税虽有二千美元，有时候加倍，是我唯一的固定收入……"确切地说，是皇冠给了张爱玲稳定的收入，让她可以不再为生活烦忧，可以让她晚年过着闲隐的生活。这些收获，是命运给一个卑微的作者，该得的报偿。

平鑫涛对张爱玲亦是十分欣赏和尊重，他后来回忆："张爱玲生活简朴，写来的信也是简单之至，为了不增加她的困扰，我写过去的信也都三言两语，电报一般，连客套的问候都没有，真正是'君子之交淡如水'。为了可以快一点儿联络上她，平日去信都是透过她住所附近一家杂货店的传真机转达。但每次都是她去店里购物才能收到传真，即使收到传真，她也不见得立刻回，中间可能相隔二三十天。我想她一定很习惯这种平淡却直接的交往方式，所以彼此才可以维持三十年的友谊而不变。”

君子之交淡如水，的确，清淡的交往反而可以久长。其实在张爱玲和皇冠的合作上，就可以知道，她是个长情的人，或者说，她是一个讨厌繁复的人。尤其到老的时候，她不与人交往，而平鑫涛尊重她的这种方式，理解她的处境，所以张爱玲愿意将文字托付给他，直至终结。但张爱玲年老时反复搬家，又让人觉得她是个不安定的人。其实正是因为她太想要安定，所以才会选择频繁迁徙，她内心恐惧，她怕任何的纠缠。哪怕是一片落叶，一缕风声，对她来说，都是无端的惊扰。

“撇开写作，她的生活非常单纯，她要求保有自我的生活，选择了孤独，甚至享受这个孤独，不以为苦。对于声名、金钱，她也不看重……和张爱玲接触三十年，虽然从没有见过面，但通的信很多，每封信固然只是三言两语，但持续性的交情却令我觉得弥足珍贵……”这段话亦是平鑫涛说的，可见他了解张爱玲，他珍惜这个不曾谋面的女子。

赖雅离世后，张爱玲生活没有什么变动，她除了修改旧作，其余的精力，是放在翻译《海上花》和写作《红楼梦魇》上。一九六九年，她还转入学术研究，应加州伯克莱大学主持“中国研究中心”的陈世骧教授的邀请，去那里担任高级研究员。可见这时候的张爱玲尽管关闭了心门，但她还没有彻底与世隔绝。等到她把风景看透的时候，就再也不会看一眼人间那杯凉却的茶。

然而这份工作对张爱玲来说，也只是轻描淡写的一笔。对她来说，这份工作虽然合适，但也无多少兴致。尤其在人际关系上，张爱玲依旧我行我素，从不按时上班。在那里工作的人，几乎难得与她碰面。偶尔遇到了，也如惊鸿一瞥，风一样走过，就不见了。

有一个负责为张爱玲做一些辅助工作的人，叫陈少聪，他写过一篇《与张爱玲擦肩而过》，其中有这么几段话："我和她同一办公室，在走廊尽头。开门之后，先是我的办公园地，再推开一扇门进去，里面就是她的天下了。我和她之间只隔一层薄板，呼吸咳嗽之声相闻。她每天大约一点多钟到达，推开门，朝我微微一粲，一阵烟也似地溜进了里屋，整个下午再也难得见她出来。我尽量识相地按捺住自己，不去骚扰她的清静……"

"深悉了她的孤癖之后，为了体恤她的心意，我又采取了一个新的对策：每天接近她到达之时刻，我便索性避开一下，暂时溜到图书室去找别人闲聊，直到确定她已经平安稳妥地进入了她的孤独王国之后，才回归原位。这样做完全是为了让她能够省掉应酬我的力气。"

这样传神的描写，足以让人看到一个真实的张爱玲。她孤僻，敏感，矜持。而大家对于这样一个女子，都能够十分理解，甚至尽可能地免去对她的打扰，给予她尊重和恭敬。她居住在那个属于她一个人的城里，这个世界的一切对她来说，只是一场莫名的喧哗。她在抗拒，因为这个世间再也给不起她任何惊喜。没有她想要的，也没有她眷恋的人和事。

最后，这份工作她也无法做下去。陈世骧看到她递交的研究报告，“所集词语太少，极为失望”。陈世骧又把报告给另外三位学者看，都说看不懂。面对这样的结果，张爱玲亦不气恼，她从来不期待那么多人的懂得。在她的心里，只藏着那么几个人，而大多人的看法，她自是不屑。离开对她来说，是解脱。

其实在加州的生活，对她是很适合的，简约安稳。这些年，张爱玲算是把沧桑过尽，她太需要安稳了。在这里她每天伏案写作，与文字诉情怀，和月亮作知音。没有人可以惊扰她，皇冠给她带来的稿酬，能够令她安享宁静。在台湾，她已经获得了许多作者穷尽一生想要的地位。

张爱玲，这个民国女子，就这样在读者心中生了根。她成为民国的传奇，许多人，为了这个传奇，将之寻访。倘若这些人，不这样将她惊扰，让她活在自己的孤岛里，寂静无声，或许她的晚年还可以过得平静些，可以更加从容笃定。可她却像蝼蚁一样，害怕尘世的一切风和雨，为了一个简单的巢穴，惊恐不安地奔走。

明明是一朵雪色梨花，奈何却被世间风云扑簌簌地落满尘埃。其实她是不怕的，如果真怕了，她会与世诀别。但她依旧倔傲地活着，活得那么坚定，那么孤独。像听留声机那首经典老歌一样，重复旋转；像种在深深庭院里的那株梧桐，守着残缺的岁月，迟迟不肯老去。

倦掩心门

【张爱玲语录】只有年轻人是自由的。年纪大了，便一寸一寸陷入习惯的泥沼里。孤独的人有他们自己的泥沼。

曾经说过，许我在一个被遗忘的小镇，被人遗忘地活着。如何才能被人遗忘，又如何才可以彻底远避尘嚣。在云崖水畔筑一间茅庐，于深山幽林寻一座庙宇，或在乡野古道设一处柴门。这不是真隐，因为伫立于苍茫寂静的天地间，你会感到自己原来是那么端然，那么突兀。古人说，大隐隐于市。真的要被人遗忘，莫如隐于红尘，在喧腾的车马与繁芜的人海中，你就是渺小的尘粒，太微不足道了。

许多人对于晚年张爱玲的生活方式不能理解。她为何要一个人躲藏在异国他乡，过着与人隔绝的生活。她是在闲隐吗？如果一个人内心平静，又何惧碌碌尘寰的风和雨？赖雅死后，张爱玲和皇冠出版社合作，她有足够的钱用来过安稳的生活。她甚至可以回国，回到她喜爱的上海，找一间典雅的公寓，过着她想要的生活。旗袍裹身，红茶点心，和姑姑张茂渊，过着躲进小楼成一统，管它春夏与秋冬的日子。

可她不要，她偏生要遗世，她不是隐居，她是在逃离。其实张爱玲是岁月的勇者，毕竟她是孤独安然老去，没有提前了结自己。她不愿意回故土，不愿意行走在阳光下，是因为她觉得人生得意马蹄疾的大好时光远去了。她不想做着无谓的哀悼和惋惜，所以她选择自由散漫地活着。或许连她自己，都不知道为什么。

在加州，张爱玲还破例长时间接待过一个执著的访客。这一次之后，她定居洛杉矶，就再也没有和谁长久地接触了。这个幸运的访客，叫水晶，原名杨沂，台大外文系毕业，之后辗转于美国加州大学任教。一九七零年九月，他得到去伯克莱大学进修一年的机会，所以和张爱玲有了这段相见的缘分。

水晶在台大读书时，就十分迷恋张爱玲的作品。听说好友王祯和曾经在台北接待过张爱玲，羡慕不已。这次有幸和她近在咫尺，不想就这样轻易擦肩。可是他不知道，要见上张爱玲一面，竟是如此之难。他几番上门求见，拨打电话，都被张爱玲婉言拒绝。在他行将离开伯克莱大学的时候，却意外收到张爱玲的信，说希望在他动身前可以见面。

水晶感谢上苍的恩宠，让他终于可以和张爱玲有这一面之缘，并且有了长谈七个小时的畅谈。张爱玲初次见胡兰成，也不过交谈了五个小时。这位水晶先生，真是得到她的厚待。走进张爱玲寓所，水晶想起胡兰成的话，见着张爱玲，世界都要起各种震动，她的房里是有兵气的。然而真见着了，又和想象的大为不同，那种感觉难以用言语表达，却又被她深深慑服。

水晶先生用他细致的笔触，描写了张爱玲的房间："她的起居室犹如雪洞一般，墙上没有一丝装饰和照片，迎面一排满地玻璃长窗。她起身拉开白纱幔，参天的法国梧桐，在路灯下，使随着扶摇的新绿，耀眼而来。远处，眺望得到旧金山的整幅夜景。隔着苍茫的金山湾海山，急遽变动的灯火，像《金锁记》里的句子，'营营飞着一窠红的星，又是一窠绿的星。'"

水晶见到张爱玲的时候，她已经年过半百了，通过他的文字我们可以很清晰地看到五十一岁的张爱玲模样："她当然很瘦——这瘦很多人写过，尤其瘦的是两条胳臂，如果借用杜老的诗来形容，是'清晖玉臂寒'。像是她生命中所有的力量和血液，统统流进她稿纸的格子里去了。"

说得多么好，仿佛张爱玲所有的一切，都流进稿纸的格子里去了。她的灵魂，却在她大而清炯的眼神里。然而历尽沧桑的张爱玲，并没有以憔悴漠然的姿态，接见她的读者。她穿着高领圈青莲色旗袍，她微扬着脸，斜欠身子坐在沙发上，逸兴遄飞，笑容可掬。

“她的笑声听来有点腻搭搭，发痴嗬嗒，是十岁左右小女孩的那种笑声，令人完全不敢相信，她已经活过了半个世纪。”也许不能近距离接触张爱玲，真的无法知道她的模样。她自是与寻常人不同，而那种别样气质，唯有真正相见，才能深刻感知。但我相信，已经没有人可以走近她的内心，或许从来就没有人走进去过。

这一次漫长的交谈，涉及的话题很广泛，亦很深入。主要提及的是一些作品，如《半生缘》、《怨女》、《歇浦潮》、《海上花》、《倾城之恋》、《第一炉香》、《金瓶梅》等。张爱玲还提及了五四以来的作家，她非常喜欢读沈从文的作品。又谈到了一些台湾作家，她觉得台湾作家频繁相聚，其实很不好。认为作家分散一点儿的好，避免彼此受到妨碍。

在这个谈话过程中，张爱玲频频喝咖啡。她甚至告诉水晶，她其实很爱喝茶，只是在美国买不到好的茶叶，所以只能喝咖啡。以前胡兰成说过，张爱玲喜欢泡一大杯浓浓的红茶，在午后捧一本闲书，吃着点心。其实她骨子里喜欢的是那种安逸日子，很中国，很传统。只是人生颠沛，给她换成了这种散漫的方式，她亦要迎合，孤注一掷地走下去。

这次漫长的谈话，对张爱玲来说，是人生中几乎仅有的一次。而朋友间的会面，有时终身仅有一次。她之所以接见水晶，其实也不过是巧合，是她偶尔兴起。于她是偶尔，是无意。而对于水晶，却是刻骨铭心，永生不忘。

后来他写一篇文章《蝉——夜访张爱玲》，他给了张爱玲一个绝妙的比喻。“我想张爱玲很像一只蝉，薄薄的纱翼虽然脆弱，身体的纤维质素却很坚实，潜伏的力量也大，而且，一飞便藏到柳荫深处。”只是，躲在柳荫深处的张爱玲，却总是一鸣惊人。我们时常被她文字里的声音所震撼，所感动，却又不知她身在何方，不知她是否真的安好。

一九七三年，张爱玲定居洛杉矶。自此掩上最后一重心门，红尘世事不相问。张爱玲请庄信正先生帮她寻找合适的住处，庄信正帮她找到的一处公寓是在好莱坞区。有了安定的住所，张爱玲彻底静下心来翻译《海上花》和研究《红楼梦》。

《海上花》全书的对白都用苏州话写成，对于不懂方言的读者来说，可谓是天书了。而张爱玲将《海上花》译为国语版和英文版。正是她的努力与坚持，填补了许多人心中的遗憾与空缺。

而最艰辛、最磨人的当属对《红楼梦》的考证。张爱玲说过，人生有三恨：一恨海棠无香，二恨鲥鱼多刺，三恨《红楼梦》未完。张爱玲自觉人生已无多色彩，该来的来过，该走的走了。她想要的，以及她所拥有的，尽管不是那么多，但她已无欲求了。她希望自己用瘦弱的笔、洁净的心，做完那场未了的红楼梦。

张爱玲的好友宋淇隔些时日，就会在信上问张爱玲："你的《红楼梦魇》做得怎么样？"似乎这场梦，永远都无法醒转，永远都是那么意犹未尽。张爱玲对《红楼梦》的研究，历时整整十年，一九七七年，二十四万余字的《红楼梦魇》，终于由台北皇冠出版社出版。在感受收获喜悦的同时，她的心亦无比空落，因为她人生的目标又少了一个。

十年风雨，十年故事，她的人生还有几个十年，还有几个开始。"散场是时间的悲剧，少年时代一过，就被逐出伊甸园。家中发生变故，已经发生在庸俗黯淡的成人的世界里。而那天经地义顺理成章的仕途竟不堪一击，这样靠不住。看穿了之后宝玉终于出家，履行以前对黛玉的看似靠不住的誓言。"

誓言终究靠不住，无论是否履行过，或者根本就没有兑现，都别去计较。在一出戏锣鼓喧声的开幕时，就要知道散场后灯火尽消的冷清。每个人的人生都有遗憾，曹雪芹遗憾《红楼梦》未完，张爱玲遗憾那篇未了的《小团圆》。

张爱玲把余下的日子，用来整理她的《对照记》。收录一些真实地过往，记载那些散淡的流年。张爱玲后来经历无数次搬迁，丢弃了许多东西，唯独那本脱了线，蒙了尘的旧影集，一直相伴。著名作家李碧华说："此批幸存的老照片，不但珍贵，而且颇有味道，是文字以外的'余韵'。捧在手中一页页地掀，如同乱纹中依稀一个自画像：稚雅，成长，茂盛，荒凉……"

时光是一面镜子，坐于镜前，可以看到一生变幻的容颜，经历的路程，走过的人流，发生的故事。只是你无从修改，只能看着，看着，直到镜中的影像，模糊不清。直到有一天，再也不存在了。

离群索居

【**张爱玲语录**】她不是笼子里的鸟，笼子里的鸟，开了笼，还会飞出来。她是绣在屏风上的鸟——悒郁的紫色缎子屏风上，织金云朵里的一只白鸟。

世间曾有张爱玲，世间曾有一个这样传奇的女子，曾经那样来过，又那样走了。民国，听上去离我们好遥远。那么多年的朝云暮雨，那么多年的春来秋往，荒芜了多少故事。张爱玲，这个家喻户晓的名字，亦像是来自久远的传说，让我们无从企及。然而她离我们其实很近，许多活着的我们，曾与她同于世上十年，二十年，甚至更久。

八十年代，张爱玲依旧沉静在洛杉矶那座浩荡磅礴的城里。而那时的中国，也在无数场惊涛骇浪后，渐渐归于平静。被时代淹没了数年的张爱玲重新归来，她的文字被大陆的读者争相传诵。对于张爱玲来说，这是一份迟来的爱，尽管她早已不在乎，但她同样给了我们许多迟到的祝福。

关于张爱玲这个名字，关于张爱玲作品中的许多锦句，关于她写过的故事，以及她生平所经历的情缘，被如流的读者，所寻找，所追捧，所珍藏。而张爱玲，远在异国他乡，对于这繁闹的一切，不闻不问。王摩诘曾写过一句诗："晚年唯好静，万事不关心。"或许人到了一定年岁，所有该放下的，不该放下的，都会放下。

八十年代的张爱玲，究竟在洛杉矶做些什么？一九七九年，姑姑张茂渊几经辗转，终于在宋淇的帮助下，给张爱玲写去了失落多年后的第一封信。之前有说过，张茂渊独守空闺五十载，最后终于和她的初恋情人李开第结成连理。这一年，正是一九七九年。

张爱玲听到这则消息，很是欣慰。她曾说过，她相信姑姑一定会结婚，哪怕到了八十岁也会。果然，张茂渊在人生黄昏找到了属于自己的归宿。而她，这些年竟一直居住在爱玲走时的那个叫卡尔登的公寓。想不到，这个时尚女性，竟如此执著，念旧。

后来弟弟张子静也跟张爱玲联系上了。比起张爱玲，张子静似乎更加冷落，更加孤苦。他这一辈子，父母不疼爱，姐姐不亲密，姑姑不怜惜。庸淡一生，终身未娶。那时候父亲张廷重早已过世，而继母孙用蕃历经洗礼，独自艰难地度着余年。张爱玲对弟弟张子静，一如既往地冷淡，或许这就是她的处事方式。在胡兰成那里，她的做法是无情，而她亦觉得对大陆的牵挂，实在太少。

八十年代的张爱玲，在大陆算是风生水起。可是居住在洛杉矶的她，日子过得并不安稳，并不太平。那时候，她频繁忙碌地做着一件事，就是搬家。从一九八四年至一九八八年，那几年里，据说她平均每个星期搬家一次。可见晚年的张爱玲遭受了多少罪，过得有多累。

她为什么要如此频繁地搬家？是为了躲人，为了躲世界？还是怕什么？很难想象，她居然是为了躲跳蚤。生命是一袭华美的旗袍，爬满了蚤子。没想到，这句年轻时写下的惊艳句子，却成了诅咒似的，应验在身。一周搬一次家这肯定不真实，但足见她搬家的次数，实在太过惊人。

张爱玲曾写信给夏志清说："天天上午忙搬家，下午远道上城（按，主要去看医生）。有时候回来已经过午夜了，最后一段公车停驶，要叫汽车——剩下的时间只够吃睡……"那时的张爱玲主要居住在汽车旅馆，环境简洁，这对她来说倒也方便。为了减轻负累，她尽可能地丢弃一些身外之物。后来搬家成了习惯，能够留下的东西，屈指可数了。

庄信正先生很担心张爱玲的健康，于是托朋友林式同照顾张爱玲。第一次，林式同带着庄信正的信找到了张爱玲居住的旅馆，按了门铃，里面的人只开了一条细细的门缝。她说很抱歉，没有换好衣服，把信放门口就好。林式同照做，他一点也不了解里面居住了一个怎样的女人，但是给他一种无比神秘的感觉。

张爱玲是真的离群索居了，她下了决心，过往的人一概不见。直到一年后，她频繁地搬家，不愿与人多打交道的她，只能求助于林式同。他们在一家汽车旅馆见面，据林式同回忆："走来一位瘦瘦高高、潇潇洒洒的女士，头上包着一幅灰色的方巾，身上罩着一件近乎灰色的宽大的灯笼衣，就这样无声无息地飘了过来。"

张爱玲为了躲跳蚤，只能剪掉头发，包上头布，穿着毛拖鞋。此后躲跳蚤的几年里，她都是这样的装扮，或戴个假发，像个流浪的老人，飘忽来去。这期间，她不但把《海上花》的英译稿给弄丢了，甚至连移民的证件都弄丢了。如此狼狈潦倒，真是让人痛心疾首。

当时很多人怀疑，到底是真的有跳蚤存在，还是她心理问题。确实是真的，张爱玲说，南美种的蚤子非常顽强，小得肉眼看不见，根本就杀不净。后来，一位美籍华人、哈佛研究生司马新，通过夏志清和张爱玲结识。他辗转托人在洛杉矶找了一位名医，给张爱玲看病。果然，张爱玲的病看好了，爱玲写信盛赞那位名医“医道高明，佩服到极点”。

这位可怜的老人，总算结束了一段艰苦的搬家生涯。一九八八年，张爱玲写信告诉林式同，皮肤病终于好了，可以替她找固定住所了。不等林式同出现，她自己已经找了一处公寓，住了下来。这公寓比起那些汽车旅馆，自是整洁优雅了许多。当然价格也昂贵，一个月好几百美金。

张爱玲有稳定的稿费，她不缺钱，她缺少的只是安定。在这里，她依旧小心翼翼地过着日子，尽量避免出门。偶尔出门，也只是购物，她一次性购满许多所需的生活物品。去楼下取信的次数也极少，十天半月难得一次，并且每次都是夜深人静时，她不想见任何人。每天，她躲在屋子里，除了看着电视里的人，听着里面的声音，她的世界，可以说是彻底地安静了。

然而，不与世争的她，还是被人打扰了。这个人是张爱玲的崇拜者，来自台湾的戴文采女士。据说她是台湾某报社的记者，但无论她是谁，她如此刻意去惊扰一个只想着离世绝尘的老人，做法的确有些欠妥。

当戴文采女士几经波折，终于找到张爱玲所住的公寓时，她毫不犹豫地租住了张爱玲隔壁的那间房，开始漫长的等待。其实她并非有意去惊扰，她只是想躲在一个角落，默默地看看她就好。结果这一等，就是整整一个月。她每日贴着墙壁，试图听到张爱玲房里的一些动静。终于，她等到了一次机会，那就是张爱玲出来倒垃圾。

“她真瘦，顶重略过八十磅。生得长手长脚，骨架却极细窄，穿着一件白颜色衬衫，亮如洛佳水海岸的蓝裙子，女学生般把衬衫扎进裙腰里，腰上打了无数碎细褶，像只收口的软手袋。因为太瘦，衬衫肩头以及裙摆的褶线始终撑不圆，笔直的线条使瘦长多了不可轻侮……我正想多看一眼，她微偏了偏身，我慌忙走开，怕惊动她……因为距离太远，始终没有看清她的眉眼，仅是如此已经十分震动，如见林黛玉从书里走出来葬花，真实到几乎极不真实。岁月攻不进张爱玲自己的氛围，甚至想起绿野仙踪……”戴文采女士在她不能清晰看清张爱玲眉目的境况下，却做出如此细致的描写。张爱玲就是民国的临水照花人，戴文采所看到的，也只是水月镜花，如一场幻梦。

这个执著的女子，不甘心一个多月的等待，一无所获。于是她把垃圾桶里张爱玲刚丢下的全部纸袋用树枝勾了上来，把那些垃圾忘我地读着，翻找着。除了知道张爱玲一些生活上的琐事，以及她和夏志清等人的废弃信纸、稿纸，便再无其他。而戴文采却把这些垃圾如珍似宝，洋洋洒洒地写下一篇采访记：《我的邻居张爱玲》。

后来这件事被夏志清知道，他怕伤害到张爱玲，立刻打电话给庄信正。庄信正不敢怠慢，打电话给张爱玲，平时不接电话的她竟心有灵犀接通了。她听了之后，立即挂断电话，用最快的速度搬家。就这样，张爱玲在戴文采的眼皮底下，无声无息地搬走了。除了林式同，再也没有人知道她的住址了。

这个孤苦无依的老人，为了躲避世事纷繁，过得实在太辛苦了。她本该过上风轻云淡的日子，过着安稳平静的生活，一杯茶，几本书，三五知己偶聚。无关风月，只淡淡地讲述一些过往的风云旧事。可她没有，她选择遗忘所有的人，也期待被人遗忘。

纯粹、疏离、静谧，就真的那么难么？如果人间答应许她最后一个诺言，那就是，被遗忘地活着。她愿意，用剩余的残年和这个慈悲的人间，妥协。

急景凋年

【张爱玲语录】一辆空电车停在街心，电车外面，浅浅的太阳，电车里面，也是太阳——单只这电车便有一种原始的荒凉。

别再追问我在哪里，我们都为了自由地活着，散落在天涯。人生一梦，白云苍狗，今朝你看见繁花似雪，明日已被落花深埋。时间将我们宰割，有一天都要凌迟处死。这不是残忍，所有的光阴都是被我们自己挥霍，没有谁可以取代谁。

晚年的张爱玲，要做的就是彻底丢下身外之物。但她似乎什么都可以丢下，感情、名利、世事，唯独不肯丢弃的是她的文字。因为上次被戴文采干扰，张爱玲犹如惊弓之鸟，她对外界的警惕性更高了。她现在的住址是绝对保密，连她最亲的姑姑都不告诉。

张爱玲这次居住的公寓，也没能住得长久。起先她有一次过街，被一位中南美洲的青年撞倒，摔坏了肩骨。她自己去看了医生，幸无大碍。但没多久，她所住的公寓来了一些南美和亚洲移民。因为素质不高，所以卫生很不好。甚至还有人养了猫狗，招来虫蚁，这让张爱玲难以忍受，她再次给林式同写信要求搬家。

张爱玲一直不喜欢动物，她觉得动物和人有相似之处，有骨血，就有了杂念。所以她宁愿养几盆花草，她觉得草木有灵性。但自从离群索居后，她便什么也不想要了，只余得几样物品，伴着她颠沛流离，却也没有感情，只不过必须用着而已。

一九八七年七月，林式同帮张爱玲找到了一个合适的公寓。最重要的是，房子足够新，没虫。张爱玲被蚤子吓怕了，年迈体弱的她再也禁不起那样的骚扰。张爱玲新住的公寓，房东是伊朗人。林式同开车来陪张爱玲一同签约，而这一次，亦是林式同认识张爱玲十余年来第二次相见。这些年，张爱玲只与他保持电话和通信，不到万不得已，她不愿意惊扰任何人。

林式同是个古道热肠的人，尽管他是个建筑师，对文字一无所知。但他对这位倔傲的老人，有种莫名的倾慕和敬佩。十多年前，他们不相见，只要张爱玲需要帮助，他毫不迟疑。他帮张爱玲找房子，补办遗失的证件，他将自己的住址作为张爱玲永久的地址。他从不轻易跟任何人透露张爱玲的境况，答应她的一切事情都十分保密。

所以张爱玲对林式同，亦是绝对信任。在美国，她没有亲人，最后的十余年，林式同也算是她唯一的亲人了，也是她晚年联系最多的人，她甚至很喜欢跟他聊天，虽然她决意不与人往来，但她也会寂寞。林式同亦把她当做一位孤独的老人，所以对她所提的要求，都尽一切能力满足。

有那么一次，她突然跟林式同说起，三毛怎么自杀了。林式同没有回答，因为他根本就不知道三毛是谁，更不知道这世上还有一个那样与张爱玲相似，却又截然不同的女子。而张爱玲亦是漫不经心地问起，对她来说，这世上谁活着，谁死了，都不再那么重要。

张爱玲的新居是单身公寓，在西木区。这里环境虽好，但是太过安静了些。张爱玲不喜欢太寂静的地方，她喜欢喧闹一些，热闹让她觉得安全。这也许就是大隐隐于市吧，静中的岁月尤其漫长，而且让人觉得寂寥。但她还是住了下来，或许是年岁已大，她再也受不起多少折腾。尽管她跟房东频繁抱怨，但一切将就过去了。

张爱玲给自己的邮箱上用了一个假名Phong，越南人的姓。她告诉房东，外面传言她发了财，她怕那些亲戚找上门来借钱。Phong是她祖母的名字，在中国很普通，不会引起注意。可见她为了躲避世人，真是用心良苦。而这信箱也只是一个月才开启一次，总是塞得满满的，她已经不在意这些。

因为她频繁搬家，和上海的弟弟张子静又断了联系。有一次，张子静在报纸上看到一行字，已故女作家张爱玲……当时他悲伤不已，后来几经辗转，才和张爱玲联系上，悬着的那颗心算是放下了。这么多年，张子静已经习惯了姐姐的冷漠，但是在他心里，他只要知道她活着，她还在就好。

后来听闻姑姑病了，张爱玲亦是不回上海。上海对她来说已是一座过去的城，那些发生过的故事，已是前生。她几乎已经不记得一些事，一些人，就算偶然想起，也无了感觉。一个人把日子过到这份上，也算是一种修为。

一九九一年，张爱玲的好友炎樱去世了。这位陪伴了她半个世纪的朋友，尽管后来这些年她们有所疏远，但是在张爱玲心中，她一直很重要。同年六月，张爱玲的姑姑张茂渊在上海逝世。姑姑算是张爱玲在世上最亲的亲人了，她们曾经相伴那么多个日夜。只是真的太久远了，她努力地回忆，终究还是记不起。

生死对她来说，如同花开花落，太过寻常。她从来不害怕自己哪天会突然死去，亦不企盼那个日子的到来，因为她知道，因果早已注定。所以她让自己孤独地活着，有一年算一年，有一天算一天。生命只是一种简洁的存在，丢下尘世的包袱，便都不重要了。

一九九二年，林式同突然收到张爱玲一封重要的信件，居然是张爱玲的一份遗嘱副本。遗嘱的内容是：一、所有私人物品留给香港的宋淇夫妇；二、不举行任何丧礼，将遗体火化，骨灰撒到任何空旷的荒野。遗嘱的执行人为林式同。

也许张爱玲怕自己的举措会让林式同感到突兀，她在信中解释道：在书店里买表格就顺便买了张遗嘱，免得有钱剩下就会充公。事实上，张爱玲看着身边的人一个个离去，消散在时光的烟尘中，她知道，自己离那一天也不远了。尽管她无意生死，但她依然要为自己的身后事做好妥善的安排。

然而她不知道，在她离世之后，皇冠出版社和大陆多家出版社为张爱玲著作的版权，打起了无穷无尽的官司。只是输赢胜败对她，再也没有任何瓜葛。她把自己托付给了死神，而活着的人，也只是为了自身的使命活着。对于他们不由自主的争夺，张爱玲能够深深理解，因为她也曾经认真而努力地活过。

尽管张爱玲这看似无意的交代，仍然让林式同感到惊讶。他在《有缘得识张爱玲》里说道："一看之下我心里觉得这人真怪，好好的给我遗书干什么……遗书中提到宋淇，我并不认识，信中也没有说明他们夫妇的联系处，仅说如果我不肯当执行人，可以让她另请他人。张爱玲不是好好的吗？我母亲比她大得多，一点事也没有……"之后林式同也没有答复她，因为在他看来，这还是件很遥远的事，他甚至把这事给忘了。

写完这封信的张爱玲，又把自己藏在云深不知处的地方。就连林式同，张爱玲也很少再联系，他亦不知道后来那几年，张爱玲到底是怎么过的。张爱玲依旧和从前一样，虽处红尘，却好似幽居深谷。偶尔出去散步，买点日用品，去几次书店，见到邻居亦不喜打招呼。

但张爱玲还不能彻底做到从容，在她的心里，还有未了之事，那就是她一生的知己——文字。除了编那本图文并茂的《对照记》，就是重写那本自传性质的长篇小说《小团圆》。她希望有一天走后，还能给这世上留下一些关于她的什么。《小团圆》这本书稿，原定在一九九三年完稿，后来为了让《对照记》先出版，就给耽搁了，成了一个没有写完的故事。

《小团圆》成了张爱玲的神秘作品，这部创作历时二十多年的作品，直至去世前一直未能完成，在之前手稿也从未曝光。仅有好友宋淇、台湾皇冠文化集团社长平鑫涛等少数人看过手稿。张爱玲曾在遗嘱中要求销毁，但在她过世十四年之后，《小团圆》到底还是由台湾皇冠出版社于二〇〇九年二月二十六日出版了。

张爱玲曾经说过："这是一个热情故事，我想表达出爱情的万转千回，完全幻灭了之后也还有点什么东西在。"只是这个故事，她终究没有热情地讲完。如今我们所看到的《小团圆》，亦不知到底是哪一稿。但是千万个张爱玲的忠实读者，却可以在这本书里，找到许多关于她的真实故事，以及那些存在过，却已经无法触摸的影子。

一九九四年，张爱玲的《对照记》获得台湾《中国时报》"文学奖特别成就奖"。为此，她拍了一张照片，也是她留给世人的最后影像。我们看到，那时的张爱玲已是秋水苍颜，她很清瘦，双目仍有神。她手中握着的一卷报纸上，竟赫然印着"主席金日成昨猝逝"的黑体大字。看罢让人惊心，她在给我们传递一个死亡的信息吗?

后来，张爱玲决定将这张照片放在《对照记》再版时的最后一页，并补写了一段旁白：写这本书，在老照相簿里钻研太久，出来透口气。跟大家一起看同一头条新闻，有"天涯共此时"的即刻感。手持报纸倒像绑匪寄给肉票家人的照片，证明他当天还活着。其实这倒也不是拟于不伦，有诗为证。诗曰：人老了大都是时间的俘虏被圈禁禁足它待我还好——当然随时可以撕票一笑。

浮生一梦，几度清欢。张爱玲别致而又华丽的人生，在一本《对照记》中行将谢幕。这是一个婆娑的世界，熙熙攘攘，来来往往，唯有放下，才能自在。

最后一世

【张爱玲语录】一个小孩骑了自行车冲过来，卖弄本领，大叫一声，放松了扶手，摇摆着，轻倩地掠过。在这一刹那，满街的人都充满了不可理喻的景仰之心。人生最可爱的当儿便在那一撒手罢？

“对酒当歌，人生几何？譬如朝露，去日苦多。”两千多年前，曹操的诗就写尽了人生况味。帝王将相今作古，斗转星移物成空。只是岁月山河依旧在，人间日月亦长存。那些没有讲完的故事，永远不会结束；没有转世的灵魂，永远不会老去。

张爱玲的《小团圆》，耗费了二十多年的光阴，经历二十多个春秋的梳理，终究还是没能写完。也许是韶光逼得太紧，也许是她刻意的安排。总之，一本未书写完的书，像是她在这世间还有未了的心事，未尽的尘缘。只是苍茫人海，谁来做那个撩开迷雾的人？

这个冬天不再像往年那样漫长，下了几场雪，喝了几壶咖啡，日子就过去了。料峭的春寒一走，就迎来了葱茏的盛夏。张爱玲原本是不喜欢夏日的，觉得过于烦闷，过于悠长，如今却觉得这个季节简洁而纯粹。适合一个妙龄女子，着一袭雪纺旗袍，折一枝翠柳，唱一段水磨调宛转的昆曲。而她，慵懒地倚着一扇小窗，看别人的云霞风片，锦瑟良辰。

这些念想都只是暂时的，她的心开始不安宁，很纷乱。一九九五年五月，安静了许久的张爱玲又给林式同写了信，再次要求搬家。说想搬到亚利桑那州的凤凰城，或内华达州的拉斯维加斯去。这两个地方都是沙漠，或许她认为茫茫沙漠里，才是最洁净的地方。

林式同这次没有尊重她的意见，他认为年老体衰的张爱玲，受不起那样的气候。不多久，张爱玲再次给林式同打电话说，皮肤病又犯了，连衣服都不好穿，整日要照紫外线灯。她的体质已经很弱，经常感冒，一旦患上，久久不得好。张爱玲又问林式同，可否在洛杉矶找一处新建的房。林式同说，等七月份租期到之前，一定帮她找一个舒适安稳的住处。

可这次之后，张爱玲便再也没有拨过林式同的电话。为了不给她带去更多的惊扰，他亦没有再询问关于房子租住的事。林式同实在想不到，那一次竟是他和张爱玲最后一次通话。这个在美国默默关怀了张爱玲十多年的人，对于她的离世，必定无比痛心。

一九九五年中秋节的前夕，这一天和往常一样，平静、简单，并无一样。但林式同却接到了一个令他心惊的电话，是张爱玲伊朗房东女儿的电话，她告诉林式同，那个租住在公寓里的中国女子，大概已经去世了。林式同不信，他想起前段还和她通过电话，那时候的她还与往常一样，闹着要搬迁呢。

无论他怎样生疑，他心里已经知道，张爱玲死了是事实。当他匆忙赶到罗契斯特街公寓时，见警察和房东正在忙碌。据法医鉴定，张爱玲距离死亡已有六七天，死因是心血管疾病。这个死亡来得有些突然，尽管张爱玲素日亦有许多小病，但林式同不知道她还有心血管疾病。

当林式同告知了自己的身份，警察允许他走进张爱玲的房间，这也是他唯一一次走进张爱玲的私人空间。一切都是那么静谧安详，日光灯开着，电视机却是关了。张爱玲穿着赭红色旗袍，安详地躺在空旷大厅中的精美地毯上。身上没有盖任何东西，手脚自然平放，她是那么瘦弱，那么孤独，又是那么平静，那么傲然。

她的房舍真的很简单，洁白的墙壁，没有任何装饰品。狭小的桌几上，还有几张散落的稿纸，以及一支笔。仿佛她在死前想要写下，曾经说过的一句话。“长的是磨难，短的是人生。”一切都是那么简洁，她带走了所有的磨难，能留下的东西已经不多。

一个手拎袋里，装着几篇散稿，还有一部永远不能完成的手稿《小团圆》。或许她死之前，自己是有感应的，她把东西安放好，只带走那个空落的灵魂。就这样，一代才女张爱玲死在洛杉矶的一座公寓中。

她喜欢公寓的生活，她曾经在《公寓生活记趣》中写道：“厌倦了大都会的人们往往记挂着和平幽静的乡村，心心念念盼望着有一天能够告老归田，养蜂种菜，享点清福，殊不知在乡下多买半斤腊肉便要引起许多闲言闲语，而在公寓房子的最上层你就是站在窗前换衣服也不妨事。”

这个孤独的老人，晚年过得并不安稳。不停地更换住所，不断地逃避世人。吃快餐食品，一直开着电视机。她怕寂寞，喜欢热闹，却又隔绝一切烟火。她就那样无声无息地死了，没有任何人知道。想来她是死在那个有月亮的晚上，有人说她是一个和月亮共进退的人。她在中秋后几日出生，于中秋前几日死去。她和那剪清凉的秋月，结了一世的情缘。

她在《金锁记》的最后写道："三十年前的月亮早已沉下去，三十年前的人也死了，然而三十年前的故事还没完——完不了。"是的，她离尘而去，但是有关张爱玲的故事，张爱玲的传奇，张爱玲的文字，却永远不会结束。而那轮与她结缘的明月，也依旧遥挂中天，那个晚上，是它为她送别。月缺月圆，古今不变，只是人，最多抵不过百年的消磨。

九月十九日清晨，张爱玲的遗体在洛杉矶惠捷尔市的玫瑰岗墓园火化。她的遗嘱执行人林式同先生完全遵照她的遗愿，没有举行任何仪式，火化时也没有亲人在场。九月三十日，是张爱玲七十五岁的生日。这一天，她的骨灰由林式同和几位友人，乘船护送至海上，之后撒在苍茫无边的太平洋中。伴随她而去的，还有那一捧捧鲜红和纯白的玫瑰花。但愿落花有情，流水有义，将她的骨灰送回上海故里。

而我亦相信，她飘忽的灵魂，抵达的第一站必定是上海。因为她是从海上来的女子，她是那位穿过民国烟雨的佳丽。尽管她死之前，对那座城已经失去了任何回忆的理由。但那座城却与她共修了太多的缘分，是上海成就了张爱玲，也是上海辜负了张爱玲。

她在这座城里出生，在这里穿上人生第一件旗袍，在这里写下人生第一篇文章，亦在这里爱上生命里的第一个男子。在这里，她看过人情瘦，江山薄。在这里，她看过风云起，浪淘尽。她曾做过十里洋场的高贵小姐，亦做过异国他乡的流浪老妇。她的心，分明有情有义，却活得孤寂疏离。

胡兰成是懂她的，说她不爱牵愁惹恨。说她无需入世，时代的一切自会与她交涉。她告诉他，因为懂得，所以慈悲。可他明明懂得，却不肯慈悲。他背弃了诺言，就像他背弃自己一样，让执念百转的她逝去一切芳菲。她是个有佛性的女子，她有妖娆禅心，所以众生见过她，会觉得世界要颠倒，震动。她算是胡兰成的解语花了，可那男子偏生不懂珍惜。

她说，她再不能爱了，后来的她，也许真的没有再爱过。那场异国的婚姻，不过是她人生里的又一个局，她笑靥如花地看着，自己在局里仓促又从容的模样。回首如潮的往事，走过的悲欢，其实就是手中落下的棋子。落了就不能回头，再也不必回头。

她自是枯萎了，只是她的枯萎无关他人。她忠于岁月，尊重生命，让自己活到鸡皮鹤发，让自己一生执笔书写。直到季节荏苒，世事嶙峋。她在属于自己的山河里，伪装宁静；又在奔忙的迁徙中，故作矜持。她其实一直想要简单的存在，可她的一举一动都会被我们视作惊世骇俗。

曾经说过，世间没有一种植物可以配得了她，包括那种叫做独活的药草，也不能。所以我们不要奢望，也不要相信，在某种植物或某个人身上，找到她的灵魂，她的影子。世上曾有张爱玲，世上唯有张爱玲。

都说，曾经在红尘路上擦肩而过的人，有一天终会相遇。我们亦不要期待，会与张爱玲有那段机缘。因为今生只作最后一世，她永远是民国世界的临水照花人。

白落梅

2011年11月14日

附录

张爱玲年谱

1920年 出生

9月30日，张爱玲出生于上海。祖籍河北丰润，乳名张煐，10岁时改为张爱玲，曾用笔名梁京。

祖父张佩纶，字幼樵，一字绳庵，同治进士，清末著名“清流派”代表。祖母李菊耦为慈禧心腹中堂李鸿章之女。

父张廷重（志沂）是旧官宦家的阔少爷，靠祖上留下的遗产过日子。母亲黄逸梵（素琼）是南京黄军门的女儿，是一个时髦的新女性。

1921年 1岁

弟弟张子静出生。

1922年 2岁

随父母迁到天津法租界张家旧宅住。

1925年 5岁

母亲黄逸梵与姑母张茂渊结伴去法国学习。

1926年 6岁

母亲走后，父亲将“姨奶奶”接回家中居住。父妾原是妓女，绰号老八，入张家后性情暴躁，经常为小事吵闹，后被赶走。

家里为她与弟弟请了塾师，张爱玲开始接受私塾教育，背经书，时常为背不出书而苦恼。

1928年 8岁

全家由天津乘船迁往上海。张爱玲在船舱里重读《西游记》。写过一篇乌托邦式的小说《快乐村》。

1930年 10岁

春，父亲病好后，故态复萌，不拿出生活费，要母亲贴钱，两人激烈争吵。终于协议离婚。

夏秋，张爱玲进入上海黄氏小学，正式更名为张爱玲。

1931年 11岁

秋，就读上海圣玛利亚女校。

1932年 12岁

发表短篇小说《不幸的她》，这是她在圣玛利亚女校校刊《凤藻》上发表的第一篇，也是唯一的一篇小说。

1933年 13岁

是年前后，张爱玲画了一幅漫画，投到上海《大美晚报》发表，收到报社寄给自己的第一笔稿费五元钱，张爱玲为自己买了一支小号丹琪唇膏。

散文《迟暮》刊于圣玛利亚女校校刊《凤藻》上。

她开始写长篇，写了类似鸳鸯蝴蝶派的长篇章回小说《摩登红楼梦》。

1934年 14岁

夏，升入圣校高中。

1936年 16岁

散文《秋雨》发表于圣玛利亚女校校刊《凤藻》上。

1937年 17岁

随笔《论卡通画之前途》，刊于圣校校刊《凤藻》上。

夏天，张爱玲从圣玛利亚女校毕业。

母亲黄逸梵为她留学事从法国归来。张爱玲向父亲提出到英国留学的请求，被父亲和后母嘲骂。

张爱玲因躲避日寇炮火到母亲家住，回家后遭到后母与父亲的毒打。第二天姑姑张茂渊来说情，也被打伤住院。张茂渊与兄长自此不再往来。张爱玲被父亲关押在家中一秋一冬。

1938年 18岁

旧历年前，趁家人不注意，逃出父亲家中，与母亲住一起。从小照看她的女佣何干被牵连，后母把张爱玲的一切个人用品都分给别人。

因为她从小没有自立生活过，在待人接物的生活常识上显得呆滞、愚笨，母亲对她很失望，给她两年时间学习适应环境。并提出，如果嫁人，就不必要文凭，如果要学业，就没有多少钱供她打扮。她思考过后准备学习，入校补习，母亲为她聘请英国教师辅导，准备报考英国的伦敦大学。最终，她虽然考取了伦敦大学，却因为战事激烈无法前往。

1939年 19岁

考进香港大学专攻文学。

本年冬或次年初，上海《西风》杂志举行三周年纪念征文，以“我的……”为题，张爱玲写了《我的天才梦》应征。

1940年 20岁

4月16日，《西风》月刊征文揭晓，张爱玲的《天才梦》本为首奖，但正式公布时，排除在一、二、三等奖外，列名誉奖第三名，在《西风》8月号上发表。次年获奖征文以她的《天才梦》为书名结集在西风社出版。

在香港大学认识了同学炎樱，二人成为终身的朋友。

1941年 21岁

太平洋战争爆发，日军入侵香港。她经历了香港被围的全过程，参加“守城”工作，休战后在大学临时医院做看护。

1942年 22岁

香港沦陷以后，香港大学停课，张爱玲未毕业即在本年下半年回到上海。

回上海后，报考圣约翰大学，因国文不及格，曾入校补习国文。开始用英文写作一系列影评与散文。给英文《泰晤士报》写剧评、影评，如《婆媳之间》、《鸦片战争》、《秋歌》、《万紫千红》、《借银灯》等。也替德国人办的英文杂志《二十世纪》写《中国的生活与服装》。

1943年 23岁

5月，《沉香屑：第一炉香》在《紫罗兰》月刊上登载。张爱玲邀请周瘦鹃到家中，与姑姑张茂渊设西式茶会答谢。

6 月，《沉香屑：第二炉香》在《紫罗兰》月刊上发表。

7 月，在上海福州路昼锦里附近一个小弄堂的一间家庭式的厢屋——《万象》杂志编辑室里，与柯灵会面，张爱玲把短篇小说《心经》交给柯灵，与柯灵结下了深厚友谊。

同月，短篇小说《茉莉香片》在《杂志》月刊第11卷4 期上发表。

同月，散文《到底是上海人》在《杂志》月刊第11卷5 期上发表。

8 月—9 月，短篇小说《心经》在《万象》月刊2 、3 期上发表。

9 月—10月，小说《倾城之恋》在《杂志》第11卷6 、7 期发表。

11月—12月，小说《金锁记》分两次在《杂志》月刊第12卷2、3期发表。

12月，散文随笔《更衣记》在《古今》第34期发表。

1944年 24岁

1月—6月，小说《连环套》在《万象》月刊7—10期发表。

3月，小说《花凋》在《杂志》月刊第12卷5期上发表。

5月—7月，小说《红玫瑰与白玫瑰》在《杂志》月刊第13卷2—4期上发表。

夏秋间，张爱玲与胡兰成结婚。没有举行结婚仪式，只写婚书为定："胡兰成与张爱玲签订终身，结为夫妇，愿使岁月静好，现世安稳。"旁有炎樱为媒证。

1945年 25岁

3月—6 月，小说《创世纪》在《杂志》月刊第14卷6 期，15卷1—3期发表。由吴江枫记录整理的《苏青张爱玲对谈记》在《杂志》第14卷6

期发表。

4月，散文《吉利》在《杂志》月刊第15卷1 期发表。

同月，散文《我看苏青》在《天地》月刊第19期发表。

5 月，散文《姑姑语录》在《杂志》月刊第15卷2 期发表。

8 月15日，日本宣布无条件投降。9 月2 日在投降仪式上签字。之后，汉奸胡兰成遭通缉，化名张嘉仪潜逃。

1946年 26岁

2月，胡兰成为躲避通缉，隐匿于杭州温州一带，又与一村妇范秀美同居。张爱玲到这里探望胡兰成，发生争吵，返回上海，次年与胡兰成关系破裂。

1947年 27岁

4 月，散文《华丽缘》在《大家》月刊上发表。电影剧本《不了情》被上海文华电影公司搬上银幕。由桑弧导演。

5月 —6 月，小说《多少恨》（根据《不了情》改编）在《大家》2、3 期上发表。

11月，小说集《传奇（增订本）》由上海山河图书公司出版。在初版基础上增收新作6 篇，依次为《留情》、《鸿鸾禧》、《红玫瑰与白玫瑰》、《等》、《桂花蒸：阿小悲秋》，另有前言《有几句话同读者说》、跋语《中国的日夜》。封面由炎樱设计。

与胡兰成离婚。

1948年 28岁

以梁京为笔名在上海《亦报》连载《十八春》。

1950年 30岁

7月，上海召开第一次文学艺术界代表大会，张爱玲在夏衍的关照下，应邀出席，坐在后排，在一片灰蓝中山装的代表中，她身着旗袍，外面罩了件网眼的白绒线衫，显得非常突出。

1951年 31岁

11月，《十八春》由上海《亦报》社出版单行本。

11月至次年1月，中篇小说《小艾》在《亦报》第三版连载。

1952年 32岁

赴香港，向香港大学申请复学获准。赴港后，在美国驻香港新闻处工作。写电影剧本《小儿女》、《南北喜相逢》。翻译《老人与海》、《爱默森选集》、《美国七大小说》（部分）。认识美新处处长麦卡锡，以及居住在香港的宋琪（笔名林以亮）夫妇。

1953年 33岁

《秧歌》英文本在美国出版，美国《纽约时报》、《星期六文学评论》、《时代》周刊相继发表书评。

1954年 34岁

长篇小说《秧歌》与《赤地之恋》先后在香港《今日世界》连载。《赤地之恋》由《今日世界》出版中文、英文单行本。

7月，《传奇》改名为《张爱玲短篇小说集》由香港天风出版社出版。

父亲张廷重于此年去世。

1955年 35岁

秋，乘“克利夫兰总统号”轮船离港赴美。

1956年 36岁

2 月，获得爱德华·麦克道威尔（Edward Mac Dowell Colony ）写作奖金，搬到美国东北部的新罕布什尔彼德罗居住，为期两年。

在这里，她结识了作家赖雅。8 月，与赖雅在纽约结婚。

1957年 37岁

1 月，小说《五四遗事》（中、英文）在台北夏济安主编的《文学杂志》1 卷5 期发表。

母亲黄逸梵在英国逝世。

1958年 38岁

为香港电懋电影公司编《情场如战场》、《桃花运》、《人才两得》等剧本。

1961年 41岁

10月，为创作剧本《红楼梦》赴香港。取道台湾，由麦卡锡安排与台湾大学的青年作家白先勇、王文兴、欧阳子、陈若曦、王祯和等会面畅谈，又到花莲、屏东，观看当地的山地舞与民族风俗。

10月，赖雅在美国中风。得知赖雅病情稳定，无生命危险后，又乘飞机到香港。

11月，为香港电懋影业公司编写改编《南北一家亲》、《一曲难忘》、《南北喜相逢》等电影剧本。

1962年 42岁

年初，回美国，与丈夫移居华盛顿，把根据好莱坞影片改编的《南北喜相逢》寄到香港。因剧本丢失，未拍摄。

1966年 46岁

4月，《怨女》单行本由台湾皇冠出版社出版。

1967年 47岁

开始用英文翻译《海上花列传》。在哈佛燕京图书馆，看了《红楼梦》许多不同版本和有关研究著作，开始了对《红楼梦》的研究。

10月，赖雅在波士顿病逝。

获邀任美国纽约雷德克里芙学校驻校作家。

英文长篇小说“The Rouge of the North”（即《怨女》）在英国伦敦出版。

1968年 48岁

长篇小说《秋歌》、《张爱玲短篇小说集》、《流言》先后在台湾皇冠出版社出版。

1969年 49岁

《半生缘》由皇冠出版社出版。

《皇冠》杂志发表《红楼梦未完》。

转入学术研究，任职加州柏克莱大学“中国研究中心”。

1972年 52岁

译著《老人与海》（海明威）由香港今日世界社出版。

《红楼梦未完》在台北幼狮文艺研究社出版的“幼狮月刊学术丛书”《红楼梦研究集》第30卷40期上发表。

1973年 53岁

《幼狮文艺》刊载《初评红楼梦》。

是年秋，张爱玲移居洛杉矶。

1974年 54岁

《中国时报》人间副刊刊载《谈看书》《<谈看书>后记》。

1975年 55岁

完成英译《海上花列传》。

《皇冠》杂志刊载《二详红楼梦》。

1976年 56岁

散文小说集《张看》由台北皇冠出版社出版。收入《忆胡适之》、《谈看书》、《谈看书后记》，以及上海沦陷时期未收入《流言》的散文旧作《姑姑语录》、《论写作》、《天才梦》，两部未完成的小说《连环套》、《创世纪》，并有自序一篇。封面为自己设计。

《联合报》刊载《三详红楼梦》《<张看>自序》。

1977年 57岁

花了十年心血撰写的红学专著《红楼梦魇》，由台北皇冠出版社出版。

1979年 59岁

《中国时报》社刊载《色戒》。

1981年 61岁

国语本评注《海上花》由台北皇冠杂志社出版。将原来吴语对白的《海上花列传》（韩子云著）译成国语，加了注评，并将原书六十四回的四回作了删并，成为六十回本，有序言和译后记。

1982年 62岁

2月，《关于〈笑声泪痕〉发表。刊物不详，后收入《续集》。

1983年 63岁

6月，小说剧本集《惘然记》由台北皇冠出版社出版。收入短篇小说《色戒》、《浮华浪蕊》、《相见欢》。四十年代的《殷宝滟送花楼会》（加了“尾声”），《多少恨》（附“前言”），电影剧本《情场如战场》。书前有“序言”。

1984年 64岁

1 月，《〈海上花〉的几个问题》（英译本序），在台北《联合报·副刊》发表。

《张爱玲资料大全集》（唐文标主编）由台北时报文化出版事业有限公司出版。收集张爱玲许多图片、小说初稿与有关研究文章。

1986年 66岁

2月，小说集《传奇》由人民文学出版社重新排印，前附作者像。

12月至次年1月，《小艾》在台湾《联合报》“副刊”连载。

1987年 67岁

《余韵》由台北皇冠出版社出版，收入旧作散文《散戏》、《中国人的宗教》、《“卷首玉照”及其他》、《双声》、《气短情长及其他》、《我看苏青》、《华丽缘》、小说《小艾》，后两篇略有改动。

1988年 68岁

《续集》由台北皇冠出版社出版。收五十年代以后的作品散文《关于〈笑声泪痕〉》、《羊毛出在羊身上》、《表姨细姨及其他》、《谈吃与画饼充饥》、《国语本〈海上花〉译后记》，电影剧本《小儿女》、《魂归离恨天》，短篇小说《五四遗事》中、英文本。另有自序。

1989年 69岁

5月，剧本《太太万岁》在台北《联合报》连载。

1990年 70岁

台北《联合报》副刊二月九日刊载《草炉饼》。

1991年 71岁

6月，姑姑张茂渊在上海去世。

7月，《张爱玲全集》由台湾皇冠文学出版有限公司出版。

1994年 74岁

《对照集》作为《全集》的一种由台北皇冠出版社出版。

1995年 75岁

9月8日，张爱玲在洛杉矶公寓死后一星期，才被发现。港台大陆的报纸纷纷作了报道。19日遗体火化。

9月30日，生前好友美籍华人夏志清、张错、林式同、张信生、高全之等为她举行了追悼会。追悼会后，骨灰被撒入太平洋。